KB075569

날씨와 재해

두 얼굴의 하늘

사진출처

연합뉴스_ 54p / 물에 잠긴 도로 55p / 폭우로 인한 산사태 59p / 추위에 얼어붙은 한강 63p / 태풍 매미로 인해 무너진 비닐하우스(왼쪽)와 도로(오른쪽) 108p / 해양 기상 관측선 기상1호, 기상 관측용 드론, 기상 레이더 센터 109p / 천리안 위성의 기상 영상을 분석 중인 예보관 119p / 제임스 헨슨

위키피디아_ 80p / 1952년 12월 런던의 모습(NT Stobbs) 88p / 갑골 문자(BabelStone)

© 신방실, 2017

1판 1쇄 발행 2017년 9월 7일 | **1판 4쇄 발행** 2021년 7월 15일

글 신방실 | **그림** 김소희 | **감수** 서울과학교사모임
펴낸이 권준구 | **펴낸곳** (주)지학사
본부장 황홍규 | **편집장** 윤소현 | **팀장** 문지연 김지영 | **편집** 양선화 강현호 이인선
디자인 이혜리 | **제작** 김현정 이진형 강석준 방연주 | **마케팅** 송성만 손정빈 윤술옥 이혜인
등록 2010년 1월 29일(제313-2010-24호) | **주소** 서울시 마포구 신촌로6길 5
전화 02.330.5297 | **팩스** 02.3141.4488 | **이메일** arbolbooks@jihak.co.kr
ISBN 979-11-6204-002-7 74400
ISBN 979-11-85786-82-7 74400(세트)
잘못된 책은 구입하신 곳에서 바꿔 드립니다.

제조국 대한민국 사용연령 8세 이상
KC마크는 이 제품이 공통안전기준에 적합하였음을 의미합니다.

아르볼은 '나무'를 뜻하는 스페인어. 어린이들의 마음에 담긴 씨앗을 알찬 열매로 맺게 하는 나무가 되겠습니다.

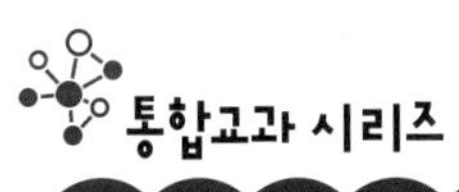

날씨와 재해

두 얼굴의 하늘

글 신방실 | 그림 김소희 | 감수 서울과학교사모임

지학사아르볼

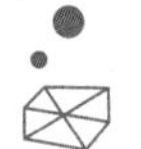

과학은 왜 어려울까?

- 생물, 지구과학, 물리, 화학 등 공부해야 할 범위가 넓다.
- 책이나 교과서를 볼 땐 이해할 것 같다가도 돌아서면 헷갈린다.
- 과학 현상이나 원리가 어려워서 이해가 안 된다.
- 과학 공부를 할 때 어려운 단어가 많이 나온다.

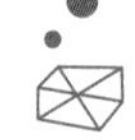

과학 공부, 쉽게 하려면 통합교과 시리즈를 펼치자!

통합교과란?

- 서로 다른 교과를 주제나 활동 중심으로 엮은 새로운 개념의 교과
- 하나의 주제를 **개념·지구과학·재해·건강·역사·직업** 등 다양한 영역에서 접근해 정보 전달 효과를 높임
- 문·이과 통합 교육 과정에 안성맞춤

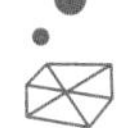

이런 학생들에게 통합교과 시리즈를 추천합니다!

과학 교과를 처음 배우는 초등학교 **3학년**

과학이 지겹고 어렵게 느껴지는 **4학년**

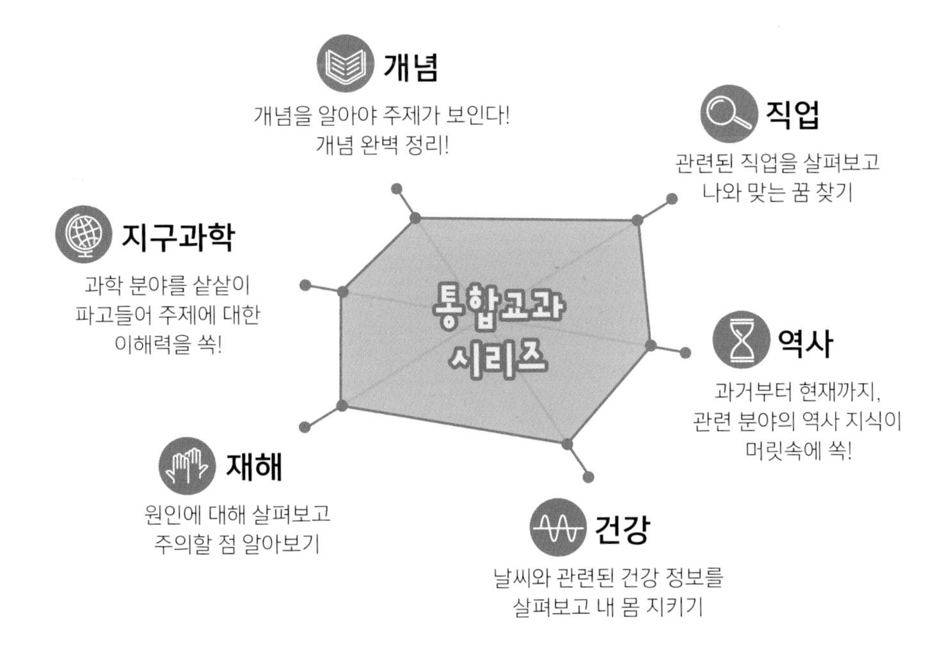

차례

다인이의 쌍둥이 남매.
엄마와 여행을 다니며 날씨에 대해 알아 간다.
미세 먼지 때문에 몸이 아픈 뒤로
날씨와 환경, 건강에 대해 관심을 갖게 된다.

아인이의 쌍둥이 남매.
축구를 좋아해서, 축구장 가는 날엔
꼭 일기 예보부터 확인한다.
아인이와 합동 애교를 부려
식구들을 웃게 만든다.

날씨 정보를 취재하기 위해서라면
그 어떤 궂은 날씨도 마다하지 않는 기상 전문 기자!
아인이 다인이와 함께 여행을 다니며
날씨에 대한 이야기를 들려준다.

평소엔 회사 일이 바빠
남매와 자주 못 놀아 주지만,
쉬는 날만큼은 남매를 잘 챙기고,
함께 시간을 보내는 자상한 아빠.

비 오는 날을 척척 알아맞히는 신기한 능력의 소유자!
바쁜 부모님을 대신하여 종종 남매를 돌봐 준다.
아이들을 항상 따뜻한 시선으로 대한다.

1화

날씨는 움직이는 거야!

개념 날씨란 무엇일까?

· 오늘의 날씨

· 날씨를 표현하는 요소

· 바람을 만드는 고기압과 저기압

· 날씨가 모이면 기후

한눈에 쏙 - 날씨란 무엇일까?

한 걸음 더 - 우리 주위에 있는 기체, 공기

여름 방학이 되었어요. 하지만 쌍둥이 남매 아인이와 다인이는 심심했어요. 부모님이 바빠서 집에만 틀어박혀 있었거든요.

"엄마 얼굴 마지막으로 본 게 언제였더라?"

"지난 주말에 잠깐 보고 지금까지 안 들어오셨잖아."

엄마는 지난 주말에 잠시 집에 들렀다가 할머니에게 남매를 부탁하고 다시 회사에 갔어요. 할머니는 엄마 아빠가 바쁠 때마다 집에 와서 남매를 돌봐요.

오늘은 할머니가 통통한 수박을 사 와 먹음직스럽게 잘라 주었어요. 할머니는 거실에 앉으며 한숨을 푹 내쉬었어요.

"휴, 올여름 날씨는 찜통더위에, 소나기에, 어쩜 이리 변덕스러운지 모르겠구나."

할머니가 부채질을 하며 말했어요. 아인이는 수박을 맛있게 먹으면서 물었어요.

"할머니, 날씨가 매일 똑같으면 엄마도 이렇게 바쁘지 않겠지요?"

할머니는 아인이의 엉뚱한 질문에 호호 웃으며 말했어요.

"그렇겠구나. 하지만 날씨가 어떻게 매일 똑같겠니? 하루에도 수없이 바뀌는데."

바로 그때, 텔레비전에 엄마가 나왔어요.

"앗, 엄마다!"

한입 가득 수박을 먹던 다인이가 소리쳤어요.

"서해상에서 강한 비구름이 들어와 현재 서울에 굵은 빗줄기가 내리고 있습니다. 갑작스럽게 쏟아지는 비 때문에, 한낮인데도 밤처럼 캄캄

해졌습니다."

엄마는 노란 우비를 입고 마이크를 든 채 거리에 나가서 뉴스 중계를 하고 있었어요. 비가 너무 세차게 내려서 엄마 얼굴에 부딪힌 빗방울이 튕겨 나가는 모습도 보였지요.

"엄마 머리랑 옷 다 젖겠다."

남매의 엄마는 방송국에서 일하는 기상 전문 기자예요. 기상 전문 기자가 뭐냐고요? 매일매일 변하는 날씨와 관련 정보를 취재하여 여러 사람에게 알리는 직업이지요.

곰곰이 생각하던 아인이가 말했어요.

"할머니! 엄마에게 갈아입을 만한 옷과 양말을 가져다주고 싶어요!"

할머니와 남매는 곧바로 짐을 챙겨 엄마가 일하는 방송국으로 향했어요. 다행히 가는 길에 비가 그쳐서 금방 도착할 수 있었어요.

아이들의 전화를 받은 엄마는 1층 로비로 달려왔어요. 엄마는 아인이와 다인이를 보자마자 꼭 끌어안고 볼을 마구 비볐지요.

"날씨 미워! 이게 다 날씨 때문이야! 날씨가 자꾸 제멋대로 변하니까 엄마가 이렇게 바쁜 거잖아!"

다인이가 심통을 부리자, 엄마가 웃으며 말했어요.

"음, 아인이와 다인이는 아침에 일어나면 가장 먼저 무슨 생각해?"

요즘 들어 부쩍 멋을 많이 내는 아인이가 먼저 대답했어요.

"학교에 어떤 옷을 입고 갈지 생각해요."

"다인이는 주말에 축구장 가기 전에 뭘 먼저 챙겨 보니?"

"비가 오면 안 되니까 일기 예보를 찾아봐요."

"그래. 아침에 눈을 떴을 때 날씨부터 확인하는 날이 있지. 얼마나 추운지 더운지 살펴보고 옷을 골라야 하니까. 학교 운동회나 나들이 계획을 세울 때도 날씨가 무척 중요하지. 어때? 날씨가 우리 생활에 큰 영향을 끼치는 것 같지 않니?"

엄마의 얘기를 듣던 다인이가 손바닥을 마주치며 말했어요.

"아! 밖에 자주 나가는 사람들한테는 그날그날의 날씨가 정말 중요하겠네요."

"외출을 자주 안 하는 사람들에게도 날씨는 중요하지 않을까? 집에 있을 때도 창밖을 보면 기분이 달라지잖아. 난 날씨가 맑은 게 좋은데, 친구는 비 오는 날이 좋다고 하더라."

아인이와 다인이의 재잘거리는 소리를 들으며, 엄마는 미소를 지었어요. 그러다 번뜩 좋은 생각이 떠올랐어요.

"날씨는 우리가 느끼지 못하는 지금 이 순간에도 조금씩 바뀌고 있어. 그래서 말인데, 앞으로 시간 날 때마다 엄마랑 날씨 여행 떠날래?"

"날씨 여행이요? 좋아요!"

"오예~ 좋아요!"

남매는 누가 먼저랄 것도 없이 한목소리로 외쳤어요. 어디든 놀러 가는 거라면 대찬성이니까요.

"기억하렴. 날씨 여행의 가장 큰 목적은 엄마랑 시간을 함께하는 데 있어. 두 번째는 날씨에 대해 알아보는 거고!"

아인이와 다인이는 힘차게 고개를 끄덕였어요.

"오늘은 전국이 대체로 맑겠습니다.
서울의 현재 기온은 25도, 습도는 65퍼센트를 기록하고 있습니다."

텔레비전이나 라디오에서 흘러나오는 일기 예보를 주의 깊게 들은 적이 있나요? 날씨 정보를 전하는 기상 캐스터★가 우리나라 지도를 배경으로 맑음이나 흐림·비 등 하늘의 상태를 알려 주지요. 또한 최고 기온, 최저 기온을 알려 주기도 하고, 바람이나 구름 영상 등도 보여 줘요. 이러한 것이 모두 날씨 정보랍니다.

날씨는 그날그날의 공기 상태를 뜻해요. 비나 눈을 비롯하여 더위와 추위, 황사, 미세 먼지, 태풍, 벼락과 우박, 안개 등 변화무쌍한 공기의 변화를 통틀어 가리키는 말이에요.

★ **캐스터** 뉴스 같은 보도 프로그램에서 진행을 맡은 사람

날씨를 변화시키는 태양, 공기, 물

신기하게도 지구와 가까운 달에서는 비나 눈이 내리지 않아요. 아예 날씨라고 할 만한 현상이 생기지 않지요. 왜냐고요? 달에는 공기와 물이 없기 때문이에요.

날씨 현상이 나타나려면 태양, 공기, 물이 필요해요. 태양이 공기를 따뜻하게 데우면, 공기에 온도 차이가 생기면서 이리저리 움직이지요. 이때 공기가 움직이면서 바람이 생긴답니다. 또한 햇볕을 받은 물이 공기 중에서 엉겨 구름이 생기고, 비나 눈을 뿌리기도 해요.

만약 지구가 달처럼 공기와 물이 없었다면, 날씨 현상도 없었을 거예요.

TIP

물질이 아무것도 없는 공간 – **진공**

공기를 비롯해 아무런 물질이 없는 공간을 진공이라고 해요. 공기가 거의 없는 상태도 진공이라고 하지요. 우리가 일상생활에서 자주 보는 진공청소기, 보온병, 진공 포장 등도 진공을 이용한 제품이랍니다.

일기 예보를 주의 깊게 살펴보면, 매일 반복해서 나오는 요소들을 알 수 있어요. 기온, 바람, 강수량, 습도 등이지요. 이 요소들은 각각 어떤 내용을 담고 있을까요?

기온

 溫

기운, 공기 기 / 따뜻하다, 온도 온

공기의 온도를 뜻해요. 지구는 공기로 둘러싸여 있는데요. 태양열★을 받으면 공기가 데워지면서 따뜻해지고, 반대로 태양열을 받지 못하면 공기가 식어서 추워져요. 보통 기온은 태양열을 많이 받는 낮에 높고, 해가 진 밤이나 새벽에는 낮아져요. 또 햇볕이 강한 여름에는 기온이 높고, 추운 겨울에는 낮답니다.

★ **태양열** 태양에서 나와 지구에 도달하는 열

바람

공기의 움직임을 뜻해요. 공기의 움직임이 많은 날은 바람이 세게 불고, 적으면 바람이 불지 않는 잔잔한 상태가 돼요.

일기 예보에서는 바람에 대한 정보로 풍향과 풍속을 알려 줘요. 풍향은 바람이 불어오는 방향이고, 풍속은 바람의 세기예요. 바람이 불어오는 방향과 세기에 따라 날씨가 달라지지요.

보통 남쪽에서 바람이 불어오면(남풍) 날씨가 따뜻해지고, 북쪽에서 불어오면(북풍) 추워져요. 또 높새바람(북동풍)은 태백산맥을 넘으면서 따뜻하고 건조한 바람을 만들어요.

겨울에 바람이 세게 불면 실제 우리 몸이 느끼는 온도인 체감 온도가 떨어져 더 춥게 느껴져요. 이처럼 풍향과 풍속 정보는 날씨를 확인하는 데 매우 중요한 요소예요.

TIP

높새바람

늦은 봄에서 초여름 사이에 태백산맥을 넘으며 부는 북동풍이에요. 동해에서 물기를 머금고 불어오는 축축한 바람이 산맥을 오르면서 비를 뿌려요. 이때 물기가 사라져 바람은 건조해져요. 그런 다음 산맥을 내려오면서 따뜻해지는데, 이를 높새바람이라고 해요.

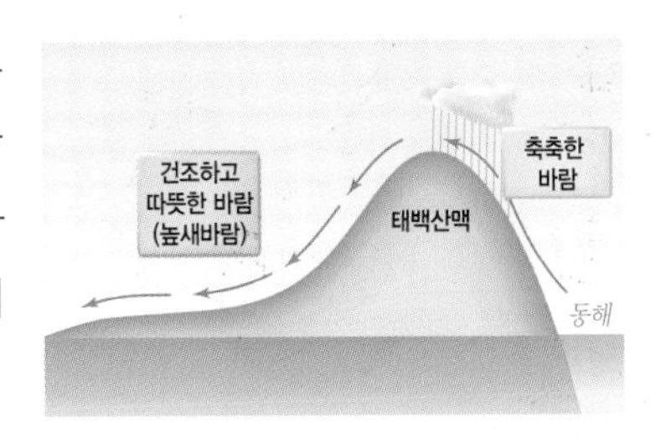

강수량

비와 눈, 우박 등 하늘에서 떨어지는 모든 물의 양을 말해요.

우리나라의 봄과 가을은 비나 눈이 자주 오지 않아 강수량이 적고 건조해요. 반대로 여름과 겨울에는 비나 눈이 많이 내려서 강수량이 많답니다.

땅에 내린 비나 눈은 강과 바다로 흘러갔다가 햇볕을 받아 수증기*가 되어 하늘로 올라가요. 이렇게 날아간 물은 구름을 만들고, 비나 눈이 되어 다시 땅으로 내려오기 때문에 날씨에 아주 중요한 역할을 한답니다.

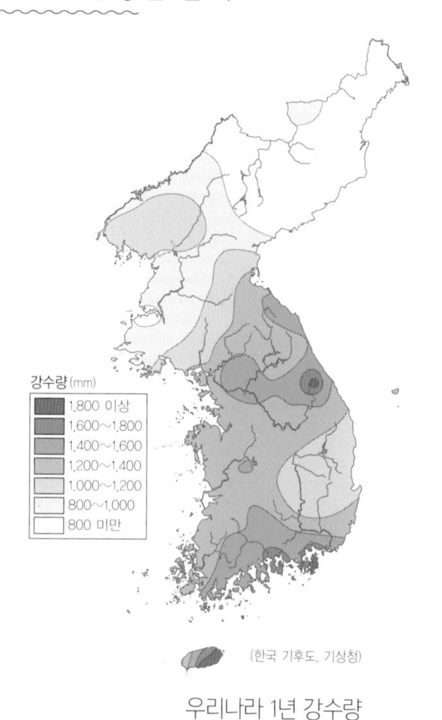

우리나라 1년 강수량

습도

공기 중에 수증기가 어느 정도 있는지, 즉 공기의 축축한 정도를 잰 거예요. 공기 중에 수증기가 많으면 습하고, 적으면 건조하지요.

장마철에는 공기 중에 수증기가 많아서 빨래가 잘 마르지 않아요.

반대로 날씨가 맑고 바람도 적당히 부는 날에는 공기가 건조해서 빨래가 금방 마른답니다.

* **수증기** 기체 상태의 물

기압

공기는 눈에 보이지 않고 손에 잡히지 않지만, 무게가 있어요. 이러한 공기가 땅을 누르는 힘을 '기압'이라고 해요.

공기가 많이 쌓여서 무게가 무거울 땐 압력이 높아요. 그래서 고기압이 돼요. 반대로 공기가 적어서 무게가 가벼우면 압력이 낮지요. 이 상태를 저기압이라고 해요. 기압은 항상 똑같지 않아요. 공기는 계속 움직이기 때문에 기압도 끊임없이 변한답니다.

바람을 만드는 고기압과 저기압

햇볕을 받아 따뜻해진 공기가 위로 올라가면 아래는 어떻게 될까요? 그 자리가 텅 비어 버릴 거예요. 이렇게 공기가 주변보다 적은 상태를 저기압이라고 해요. 반대로 위로 올라갔던 공기가 차가워지면서 다시 땅으로 내려와 쌓인 상태를 고기압이라고 해요.

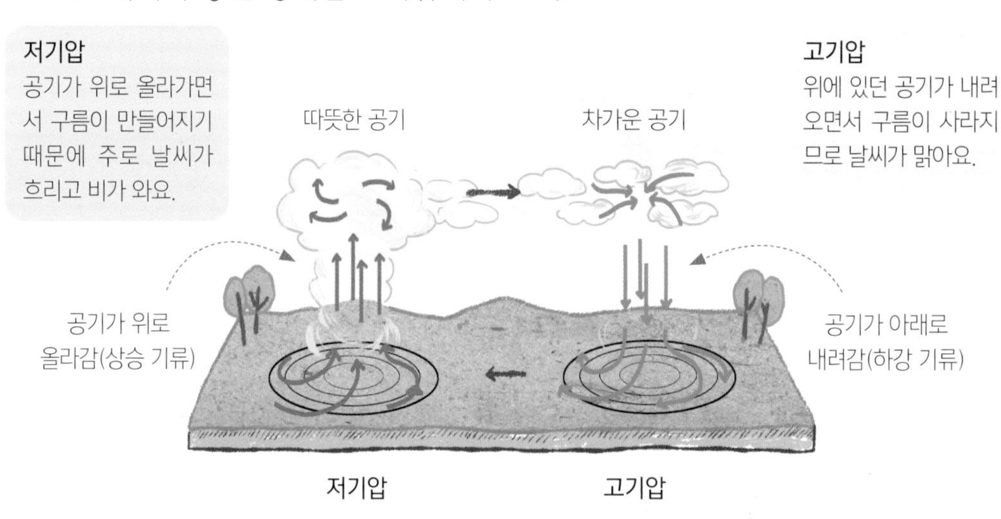

저기압

고기압

공기는 항상 많은 쪽(고기압)에서 적은 쪽(저기압)으로 이동해요. 이렇게 기압의 차이로 생기는 공기의 흐름이 바로 '바람'이랍니다.

공기가 가득 든 풍선의 입구를 열면 바람이 빠져나오지? 풍선 안쪽이 고기압, 바깥쪽이 저기압이라 그래.

날씨가 모이면 기후

날씨가 매일의 공기 상태라면, 기후는 오랜 시간 동안의 날씨 정보를 모아서 평균을 낸 거예요. 예를 들어, 365일 동안 매일 변하는 기온이나 강수량, 풍속 등을 모아 평균을 내면 1년의 기후가 되지요.

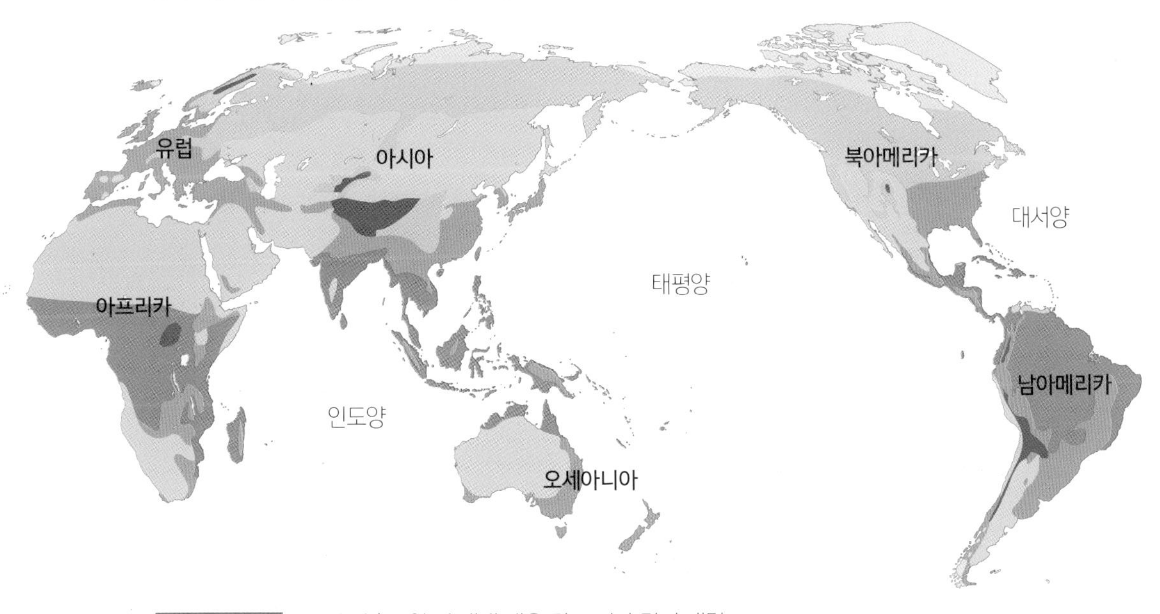

열대 기후 : 일 년 내내 매우 덥고 비가 많이 내림
냉대 기후 : 겨울이 길고 매우 추우며, 여름은 짧고 따뜻함
건조 기후 : 강수량이 적어 매우 건조함
한대 기후 : 일 년 내내 매우 추워서 눈과 얼음으로 덮여 있음
온대 기후 : 사계절의 변화가 뚜렷함
고산 기후 : 높은 산지에서 나타나며, 일 년 내내 봄날 같은 기온이 유지됨

우리나라는 사계절이 뚜렷한 온대 기후예요. 하지만 지구 온난화로 세계 기온이 조금씩 올라가면서 우리나라의 기후도 바뀌고 있어요. 열대 기후와 온대 기후의 중간인 '아열대 기후'에 가까워지고 있지요.

한눈에 쏙!

날씨란 무엇일까?

날씨

- 그날그날의 공기 상태
- 비나 눈을 비롯하여 더위와 추위, 황사, 미세 먼지, 태풍, 벼락과 우박, 안개 등 변화무쌍한 공기의 변화
- 날씨를 만드는 3요소 : 태양, 공기, 물

날씨를 표현하는 요소

- 기온 : 공기의 온도
- 바람 : 공기의 움직임
  - 풍향 : 바람이 불어오는 방향
  - 풍속 : 바람의 세기
- 강수량 : 하늘에서 떨어지는 모든 물의 양
- 습도 : 공기 중에 들어 있는 수증기 양의 정도
- 기압 : 공기가 땅을 누르는 힘

고기압과 저기압

- 고기압 : 공기가 주변보다 많은 상태
  ⋯› 위에 있던 공기가 내려오면서 구름이 사라지기 때문에 맑음
- 저기압 : 공기가 주변보다 적은 상태
  ⋯› 공기가 위로 올라가면서 구름이 만들어지기 때문에 흐리고 비가 내림
- 공기는 많은 쪽(고기압)에서 적은 쪽(저기압)으로 이동함

기후

- 오랜 시간 동안의 날씨 정보를 모아 평균을 낸 것
- 열대 기후 : 일 년 내내 매우 덥고 비가 많이 내림
- 냉대 기후 : 겨울이 길고 매우 추우며, 여름은 짧고 따뜻함
- 건조 기후 : 강수량이 적어 매우 건조함
- 한대 기후 : 일 년 내내 매우 추워서 눈과 얼음으로 덮여 있음
- 온대 기후 : 사계절의 변화가 뚜렷함
- 고산 기후 : 높은 산지에서 나타나며, 일 년 내내 봄날 같은 기온이 유지됨

한 걸음 더!

우리 주위에 있는 기체, 공기

기다란 풍선에 공기를 불어 넣고 이리저리 누르거나 비틀어 봐요. 하트 모양도 되고, 강아지 모양도 되고, 풍선 모양이 마구 변하지요? 이것은 공기가 일정한 모양을 가지고 있지 않기 때문이에요.

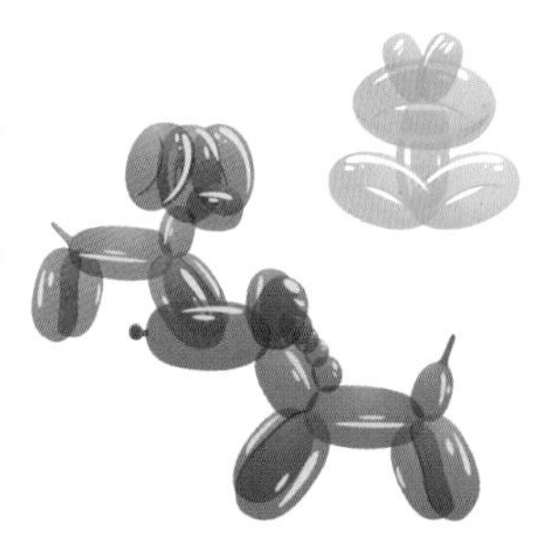

공기는 돌멩이, 물과 어떻게 다를까?

딱딱한 돌멩이와 흐르는 물을 비교해 볼까요? 돌멩이처럼 모양과 크기가 변하지 않는 물질을 고체라고 해요. 물처럼 담긴 그릇에 따라 모양이 변하지만 흐르는 성질이 있는 물질을 액체라고 하지요.
돌멩이와 물, 즉 고체와 액체는 눈에 잘 보이고 손으로 만질 수 있어요. 그러나 기체인 공기는 정해진 모양이 없답니다.

고체

난 일정한 모양과 크기를 가지고 있어. 눈으로 볼 수 있고, 손으로 잡을 수도 있지.

액체

난 담는 그릇에 따라 모양이 변해. 하지만 부피는 변하지 않아. 눈으로 볼 수 있지만, 손에 잡히지 않고 흘러내려.

기체

난 일정한 모양을 가지고 있지 않아. 그래서 담는 그릇에 따라 모양이 변하고 부피도 잘 변하지.

공기의 무게를 견뎌라!

이 세상에서 가장 가벼운 것이 무엇일까요? 눈에 보이지 않지만 둥둥 떠 있는 공기 아니냐고요?

하늘에는 엄청난 양의 공기가 떠 있어요. 공기의 무게를 모두 합치면 어마어마하지요. 여러분의 작은 손바닥 위에도 100킬로그램이 넘는 공기가 쌓여 있거든요.

우리가 이렇게 큰 무게의 공기를 견딜 수 있는 이유는 무엇일까요? 우리 몸 안쪽에서도 밖에서 누르는 공기의 힘과 똑같은 크기의 힘이 바깥쪽을 향해 작용하기 때문이랍니다.

헬륨 가스를 넣은 풍선이 위로 올라가는 이유는 공기보다 무게가 가볍기 때문이다. 이렇듯 기체마다 무게가 다르다.

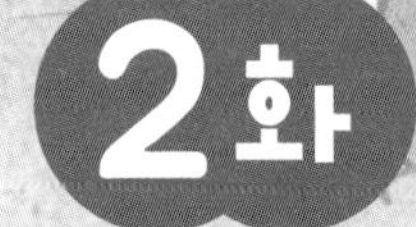

변신하는 물의 비밀

지구과학 구름, 비, 눈은 어떻게 만들어질까?

· 지구는 물의 행성

· 증발한 물은 어디로 갈까?

· 하늘에서 변신하는 물 - 구름

· 비와 눈은 어떻게 내릴까?

한눈에 쏙 - 구름, 비, 눈은 어떻게 만들어질까?

한 걸음 더 - 사람의 힘으로 만드는 비와 눈

아인이와 다인이가 아침부터 부지런히 짐을 챙겼어요. 오늘은 엄마를 따라 대관령에 가기로 한 날이거든요. 기상청에서 인공적*으로 비를 만드는 실험을 하는데, 엄마가 그곳으로 취재를 간대요.

"엄마! 친구들이 그러는데, 대관령에 가면 양을 많이 볼 수 있대요! 우리도 양 보러 가요! 네? 야~앙!"

아인이가 애교를 부리며 물었어요.

"그래, 거기도 가자. 몽글몽글한 양을 만날 수 있을 거야."

아인이와 다인이는 양을 본다는 기대감에 환호성을 질렀어요.

집에서 출발하여 고속도로에 들어서자 안개가 점점 짙어졌어요. 한참을 달리다 보니 창밖으로 '해발 고도* 800미터'라는 표시가 보였어요.

"엄마, 안개가 가득해서 마치 구름 속에 있는 것 같아요."

다인이의 말에, 엄마는 휴게소에 차를 잠시 세우며 말했어요.

"안개와 구름은 같은 원리로 만들어져. 다만 하늘에서 생기면 구름이라 부르고, 우리가 사는 땅 가까이에서 생기면 안개라고 부르지."

"그럼 여기서는 안개로 보이지만, 밑에서 보면 구름 같겠네요."

이번에는 아인이가 안개를 두 팔로 휘저으며 소리쳤어요.

"엄마! 안개에서 물기가 느껴져요. 안개는 물로 만들어진 거예요?"

★ **인공적** 사람의 힘으로 만든 것

★ **해발 고도** 바다 표면에서부터 잰 높이

"맞아. 안개와 구름은 아주 작은 물방울이 모여서 만들어져. 다만 빗방울이나 샤워기에서 쏟아지는 물처럼 충분히 크고 무겁지 않아서 공중에 떠 있는 거야."

그때 아인이가 얼굴을 확 찌푸리며 말했어요.

"엄마! 저 귀가 좀 이상해요. 꽉 막힌 것처럼 갑갑하고……."

"침을 꼴깍 삼키거나 손가락으로 코를 잡고 숨을 내쉬어 봐. 높은 곳에 올라갈수록 기압이 낮아져서 그래."

"이게 기압 때문이라고요?"

다인이도 귀가 먹먹한지, 아인이처럼 얼굴을 찌푸리며 말했어요.

"산에 올라가면 공기가 적어져서 귀 밖의 압력이 점점 낮아져. 하지만 귀 안쪽의 압력은 그대로라서 바깥쪽보다 압력이 높아진단다. 그래서 고막이 안쪽에서 바깥쪽으로 부풀어. 마치 풍선처럼 말이야."

"앗! 지난번에 비행기 탔을 때 과자 봉지가 빵빵하게 부풀었던 것도 기압 때문이었군요?!"

"오~ 그렇지! 잘 연결 지어 생각했네?"

엄마는 비슷한 예를 떠올린 다인이를 칭찬했어요.

엄마와 아이들은 다시 하얀 안개 속을 조심조심 달려서 대관령에 있는 구름물리선도센터에 도착했어요. 때마침 연구원들이 실험을 준비하고 있었지요. 엄마는 가방에서 수첩을 꺼내 연구원들의 설명을 받아 적기 시작했어요. 아인이와 다인이는 엄마의 일하는 모습이 마냥 신기했어요. 마치 탐정처럼 보였거든요.

"이제 곧 구름에 씨앗을 뿌려서 비를 내리게 하는 실험을 할 거야."

"구름에 씨앗을 심는다고요? 어떻게요?"

"오늘 아침에 서울에서 항공기가 출발했대. 이제 곧 대관령 위를 지날 거야. 그 항공기에서 비를 내리기에 적당한 구름을 찾은 다음, 그곳에 비를 만드는 씨앗을 뿌리는 거지. 우리 함께 지켜보자."

아이들은 고개를 젖혀 위를 바라봤어요. 구름이 있긴 했지만, 하늘은 파랬지요. 이런 상황에서 비가 내린다니 믿을 수가 없었어요.

시간이 얼마나 지났을까요? 연구원이 비구름을 보여 주는 레이더 장비를 살펴보다가 엄마에게 말했어요.

"성공한 것 같습니다!"

잠시 후, 가늘고 얇은 빗줄기가 머리 위로 조금씩 떨어졌어요.

"우아, 엄마! 정말 비가 내려요!"

"사람의 힘으로 비를 내리게 하다니, 과학은 정말 대단한 것 같아요!"

지구는 물의 행성

우주에서 바라본 지구의 모습은 온통 푸른빛이에요. 그 이유는 지구를 둘러싸고 있는 물 때문이에요.

물은 어디에 있을까?

지구의 표면은 약 3분의 2가 물로 덮여 있어요. 그중 97퍼센트가 바닷물이에요. 나머지 3퍼센트는 강, 호수, 지하수, 빙하 등이지요.

물은 지구에서 고체, 액체, 기체 상태로 있어요. 남북극의 얼음이나 하늘에서 내리는 눈은 고체에요. 액체인 물은 강과 바닷물처럼 지구 위를 흐르지요. 또 생물의 몸속에도 있어요. 공기 중의 수증기는 기체 상태의 물이랍니다.

물의 상태 변화

수증기는 기체라서 우리 눈에 보이지 않아요. 우리가 숨을 쉴 때 들이마시는 공기처럼 말이에요.

기체인 수증기는 기온이 내려가면 액체(물)로, 더 내려가면 딱딱한 고체(얼음)로 변해요. 이렇게 물이 고체에서 액체로, 액체에서 기체로 변하는 것처럼, 물질의 모양과 성질이 바뀌는 현상을 '상태 변화'라고 해요.

고체에서 액체로 변하는 것은 '녹는다'는 뜻으로 '융해'라고 해요. 반대로 액체에서 고체로 변하는 것은 '굳는다'는 뜻으로 '응고'라고 부르지요. 또 액체가 기체로 변하면 '증발', 기체가 액체로 변하면 '응결'이라고 해요. 지구에 있는 물은 이러한 상태 변화를 통해 구름, 안개, 이슬, 서리, 비, 눈처럼 다양한 현상을 일으켜요.

融 解

녹다 융 풀다, 녹다 해

凝 固

엉기다, 굳다 응 굳다 고

화창한 날 축축한 빨래를 널어 두면 금세 마르는 것을 본 적 있지요? 흙탕물로 가득했던 운동장이 햇빛에 잘 말라 고운 흙으로 돌아온 것도 본 적 있을 거예요.

이 현상은 물이 수증기가 되어 공기 중으로 날아가기 때문에 일어나요. 이러한 물의 증발은 우리 주변에서 쉽게 볼 수 있어요.

자연에서 일어나는 큰 증발

지구에서 증발이 가장 많이 일어나는 곳은 어디일까요? 바로 지구의 물통인 바다예요. 바다에서는 많은 양의 물이 증발해 수증기로 변해요.

숲에서도 수증기가 많이 생겨요. 식물은 영양분을 만들기 위해 뿌리를 통해 물을 빨아들여요.

이 물은 잎까지 올라와 수증기의 형태로 내보내져요. 우리가 깊은 산 속에 들어갔을 때 공기 중에 물기가 많다고 느끼는 이유도 식물이 수증기를 내뿜기 때문이에요.

돌고 도는 물의 순환

바다와 강, 호수에서 증발한 수증기는 공기 중에 머물다가 비나 눈이 되어 다시 땅으로 내려와요. 강이나 지하수로 흘러 바다로 가거나, 직접 바다에 떨어진 뒤 증발해 공기 중으로 다시 되돌아온답니다.

이렇게 지구에서는 물이 끊임없이 돌고 도는 '물의 순환'이 일어나요. 여러분이 세수할 때 사용한 물은 땅으로, 바다로 흘러 나갔다가 증발되어 다시 누군가에게 돌아올 거예요.

하늘에서 변신하는 물 – 구름

지구 곳곳에서 증발한 수증기는 공기 속을 떠돌아요. 수증기는 매우 가벼워서 하늘 높이 올라가기도 하지요.

수증기는 위로 올라갈수록 차가워져요. 하늘 높이 올라가 차가워진 수증기는 액체 상태로 응결된답니다.

구름은 물의 변신

한여름에 얼음물이 담긴 컵을 살펴보면, 바깥에 작은 물방울이 송골송골 맺히는 것을 볼 수 있어요. 이 물방울은 공기 중에 머물던 수증기가 차가운 컵에 닿으면서 온도가 내려가 액체로 변한 거예요.

하늘에 구름이 생기는 것도 이와 같아요. 위로 올라간 수증기가 온도가 낮아져 물방울로 응결되면서 우리 눈에 보이는 구름이 되지요. 구름은 어마어마하게 많은 물방울로 가득 차 있어요. 커다란 구름일수록 더 많은 물방울이 모여 있지요.

구름이 항상 공중에 떠 있는 이유

물방울 100만 개의 무게는 겨우 1그램 정도예요. 구름 속 물방울들은 매우 작고 가벼워서 공중을 마구 움직이며 떠다니지요.

물방울은 이리저리 날아다니다가 서로 부딪히고 합쳐지면서 더 큰 물방울로 변해요. 무거워진 물방울은 구름 밑으로 떨어지지요.

그러나 땅에서 데워진 공기가 계속 위로 올라가면서 물방울을 다시 밀어 올리기도 해요. 이런 물방울들은 땅으로 떨어지지 않고 공중에 떠 있으면서 구름이 된답니다.

비와 눈은 어떻게 내릴까?

물방울이 계속 커져서 구름 속에서 더 이상 떠 있을 수 없을 만큼 무거워지면 땅으로 떨어져요.

땅으로 떨어지는 비와 눈

중위도 지역이나 고위도 지역은 하늘의 온도가 낮아서 구름 속에 물방울과 얼음 알갱이가 함께 들어 있어요.

물방울은 얼음 알갱이에 달라붙어서 더 커지다가 어느 순간 땅으로 떨어져요. 이때 날씨가 따뜻하면 녹아서 비가 되고, 추우면 그대로 녹지 않고 눈이 되어 내려요.

1년 내내 더운 열대 지역에서는 하늘의 온도가 높기 때문에 구름 속에 얼음 알갱이가 생기기 어려워요. 그래서 무거워진 물방울들끼리 서로 부딪히면, 그대로 밑으로 떨어져 비가 된답니다.

우리는 삼총사 - 이슬·안개·서리

이슬 공기 중의 수증기가 차가운 나뭇잎이나 돌에 닿아 응결되면서 물방울로 변한 거예요. 얼음물을 담은 컵 겉면에 생긴 물방울도 이슬이라 할 수 있어요.

안개 이슬과 마찬가지로, 공기 중의 수증기가 물방울로 변한 현상이에요. 다만 이슬은 우리가 눈으로 볼 수 있을 만큼 큰 물방울이고, 안개는 매우 작아서 공기 중에 떠 있는 물방울이에요.

서리 기온이 영하일 때, 공기 중의 수증기가 물체에 닿자마자 곧장 얼음으로 변한 거예요. 날씨가 매우 추울 때 생기지요.

TIP

왜 이슬과 안개는 주로 새벽에 생길까요?

새벽에는 햇빛이 없어 땅이 차갑게 식기 때문에 이슬과 안개가 잘 생겨요. 공기 속의 수증기가 차가운 풀잎과 돌멩이를 만나면 금세 물방울로 변하지요. 그러나 해가 뜨면 온도가 올라서 물방울이 다시 수증기로 변해 이슬과 안개는 곧 사라져요.

한눈에 쏙!

구름, 비, 눈은 어떻게 만들어질까?

지구에 있는 물

- 지구의 표면은 약 3분의 2가 물
- 물의 97퍼센트는 바닷물
- 나머지 3퍼센트는 강, 호수, 지하수, 빙하 등
- 물은 상태 변화를 통해 구름, 안개, 비, 눈 등 다양한 기상 현상을 일으킴
- 상태 변화 : 물질의 모양과 성질이 바뀌는 현상

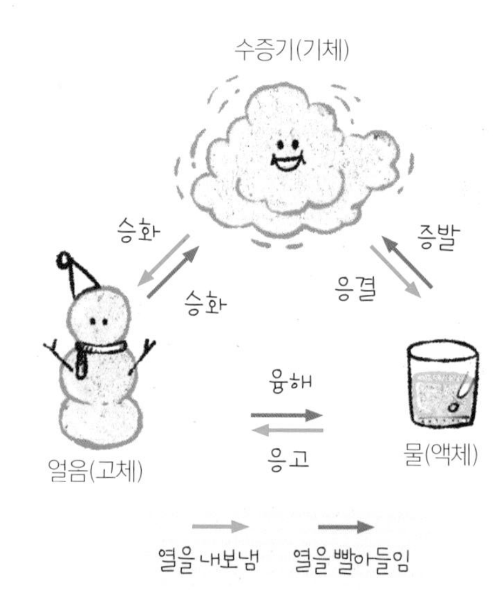

물의 순환

- 바다에서 많은 양의 물이 증발해 수증기로 변함
- 식물은 잎을 통해 수증기를 내뿜음
- 바다, 숲 등에서 물 증발 ⋯→ 공기 중에 머묾 ⋯→ 비나 눈이 되어 내림

변신하는 물

- 응결 : 수증기가 차가운 곳에 닿아 온도가 내려가면서 액체로 변하는 것
- 증발한 수증기는 공기 중에 떠다님 ⋯› 하늘로 올라가 차가워진 수증기는 액체 상태로 변함(응결) ⋯› 구름 생성
- 구름은 물방울이나 작은 얼음 알갱이로 되어 있음
- 구름이 항상 공중에 떠 있는 이유 :
  구름 속 물방울은 서로 합쳐지면서 더 큰 물방울로 변함 ⋯› 무거워진 물방울이 아래로 떨어짐 ⋯› 땅에서 데워진 공기가 계속 위로 솟구치면서 물방울을 밀어 올림 ⋯› 땅으로 내려가지 못하고 공중에 떠 있음

비와 눈

- 구름 속에 물방울과 얼음 알갱이가 함께 있음
- 물방울은 얼음 알갱이에 달라붙어서 커지다가 너무 무거워지면 땅으로 떨어짐 ⋯› 날씨가 따뜻하면 녹아서 비가, 추우면 녹지 않고 눈이 됨
- 물과 관련된 날씨 현상으로 이슬, 안개, 서리도 있음

한 걸음 더!

사람의 힘으로 만드는 비와 눈

수증기가 응결되면 물이 되고, 물방울이 모여 구름을 만들어요. 이때 수증기를 끌어당겨 물방울로 뭉치게 하는 핵심 알갱이를 '응결핵'이라고 해요. 이 응결핵이 구름 속에 비를 만드는 씨앗인 셈이지요.
응결핵의 예로는 공기 중에 떠다니는 먼지나 꽃가루, 매연 등이 있어요. 특히 큰 도시에는 먼지와 매연이 많아서 안개나 비가 잘 만들어져요.

인공 강우와 인공 강설은 무엇일까요?

만약 구름에 인공적으로 응결핵을 넣는다면 비를 내리게 할 수 있지 않을까요? 이런 생각에서 개발한 것이 바로 인공 강우, 인공 강설이에요.
인공 강우는 비를, 인공 강설은 눈을 내리게 하는 기술이에요.
인공 강우는 스모그로 오염된 대기를 맑게 하거나 심한 가뭄을 해결할 때 사용해요. 안개를 없애거나, 우박이 내리는 것을 막을 때도 사용하지요.
인공 강설은 동계 올림픽을 치를 때 주로 사용해요. 이처럼 인공 강우와 인공 강설은 다양한 목적으로 사용하지요.

인공 강우를 만들기 위해 구름에 응결핵을 뿌리는 과정

구름에 응결핵을 쏙!

기상청에서는 인공 강우용 항공기를 이용해 구름 속에 응결핵을 뿌리는 실험을 하고 있어요. 지금의 과학 기술로는 구름을 인공적으로 만들 수 없어요. 그래서 수증기가 가득한, 비를 내리기에 알맞은 구름을 찾아서 응결핵을 뿌려야 하지요.

응결핵으로 사용하는 물질로는 아이오딘화은, 드라이아이스 등이 있어요. 이 물질들은 구름 속에 들어가 물방울을 끌어당겨 점점 커져서 비를 내리게 한답니다.

3화

무시무시한 태풍의 두 얼굴

재해 우리를 위협하는 기상 재해

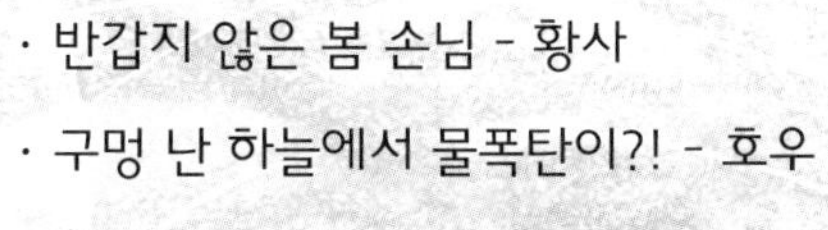

한여름의 뜨거운 햇살에 지친 아인이, 다인이는 부모님과 함께 제주도로 휴가를 떠났어요. 하루 종일 수영장에서 튜브를 타고 놀고, 해변에 나가 모래 놀이를 하다 보니 시간 가는 줄 몰랐지요. 해가 진 뒤에는 폭죽도 터뜨리며 놀았어요.

"우리 제주도에서 살면 안 돼요?"

"맞아요. 여기로 이사 와요. 너무 좋아요."

여행 마지막 날, 공항으로 향하던 아인이와 다인이가 엄마 아빠를 바라보며 가기 싫은 표정으로 말했어요. 아빠는 웃으며 다음에 또 놀러 오자고 했어요.

잠시 후, 가족은 공항에 도착했어요. 그런데 웬일인지 사람이 가득하여 발 디딜 틈이 없었어요.

"큰일이야. 태풍이 올라오고 있대."

엄마가 말했어요.

"태풍이라고요?"

갑작스러운 태풍 때문에 제주 공항의 비행기 일정이 대부분 취소됐어요. 어제까지만 해도 날씨가 맑고 화창했는데 갑자기 달라진 거예요. 심지어 강한 바람 때문에 공항 밖의 야자나무들은 금방이라도 쓰러질 것 같았어요. 빗줄기도 매우 거세졌지요.

"엄마, 우리 오늘 집에 못 가요?"

"잠시만."

태풍 정보를 찾아보던 엄마의 표정이 점점 어두워졌어요.

"휴, 오늘은 집에 못 가겠다. 상황이 심각해. 태풍이 제주도를 지나 서해로 올라갈 것 같아. 예보를 살펴보니, 이번 태풍은 바람이 무척 강해서 피해가 어마어마할 수도 있대."

결국 가족은 공항을 빠져나와 숙소를 찾아 나섰어요. 날씨가 잠잠해질 때까지 하루나 이틀 정도 더 머물기로 했거든요. 아인이가 한숨을 쉬며 말했어요.

"제주도를 떠나기 싫었는데, 태풍 때문에 못 가게 될 줄은 상상도 못 했어."

"도대체 태풍은 왜 생기는 거지?"

다인이의 혼잣말에 엄마가 답했어요.

"태풍은 적도 부근의 뜨거운 바다에서 만들어진 수증기 덩어리야. 바다가 햇볕을 받으면 엄청난 양의 수증기가 증발한다고 했지? 그게 태풍

으로 변하는 거야."

"앗? 그 수증기가 태풍이라고요?"

"물을 끓일 때 나오는 수증기는 하나도 안 무서운데, 태풍은 왜 이렇게 강해요?"

"열대 바다가 뜨거운 햇볕을 받으면 주전자와는 비교도 안 될 만큼 엄청난 양의 수증기를 뿜어내거든. 수증기가 공기 중으로 올라가면서 빙글빙글 도는 소용돌이 구름을 만들어 내는데, 이게 바로 태풍이야. 태풍은 바다를 지나면서 수증기를 계속 빨아들여 더욱 강해지지."

그때, 스마트폰을 보며 태풍 정보를 찾아보던 아빠가 말했어요.

"제주도에 태풍 경보가 내려졌어. 오늘 밤이 고비겠구나."

그날 밤은 정말 제주도가 떠나갈 듯한 비바람이 몰아쳤어요. 창문이 깨질까 봐 한잠도 못 잘 정도였답니다.

다음 날 아침, 제주도는 놀랄 정도로 맑았어요. 부러진 나뭇가지 때문에 거리는 지저분했지만, 하늘은 가을처럼 푸른빛이었지요.

"얘들아, 저녁 비행기 예약했어. 태풍이 예상보다 속도가 빨라서 잠시 후에 수도권을 지날 거래."

"으~ 태풍이 없어졌으면 좋겠어요."

"태풍은 큰 피해를 주기도 하지만, 중요한 현상이야. 적도에 모여 있는 뜨거운 열을 북쪽으로 실어 나르며 균형을 맞춰 주거든. 또 작은 태풍이 몰고 오는 적당한 비는 가뭄을 해결하는 데도 도움을 준단다."

"정말요? 태풍은 두 얼굴을 갖고 있네요."

남매는 앞으로 작은 태풍만 오면 좋겠다고 생각했답니다.

반갑지 않은 봄 손님 – 황사

기나긴 겨울이 지나고 봄이 왔구나 하면서 기지개를 켤 무렵, 뿌연 모래 먼지가 몰려옵니다. 바로 중국이나 몽골 지역에서 날아온 황사이지요.

먼 곳에서 날아오는 모래바람

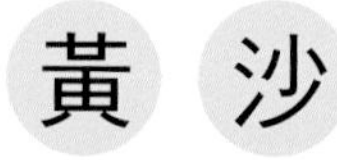

누렇다 황 모래 사

봄철 건조한 날씨에 고비 사막이나 타클라마칸 사막 주변의 누런 모래가 강한 바람을 타고 우리나라까지 와요. 이 누런 모래 '황사'는 수천 킬로미터를 날아오지요.

중간에 서해도 있는데 어떻게 우리나라까지 오는 걸까요? 수십에서 수백만 톤에 이르는 엄청난 양의 모래 먼지가 공중으로 떠오르기 때문에 일부가 바다에 떨어지더라도 많은 양이 우리나라까지 도착해요.

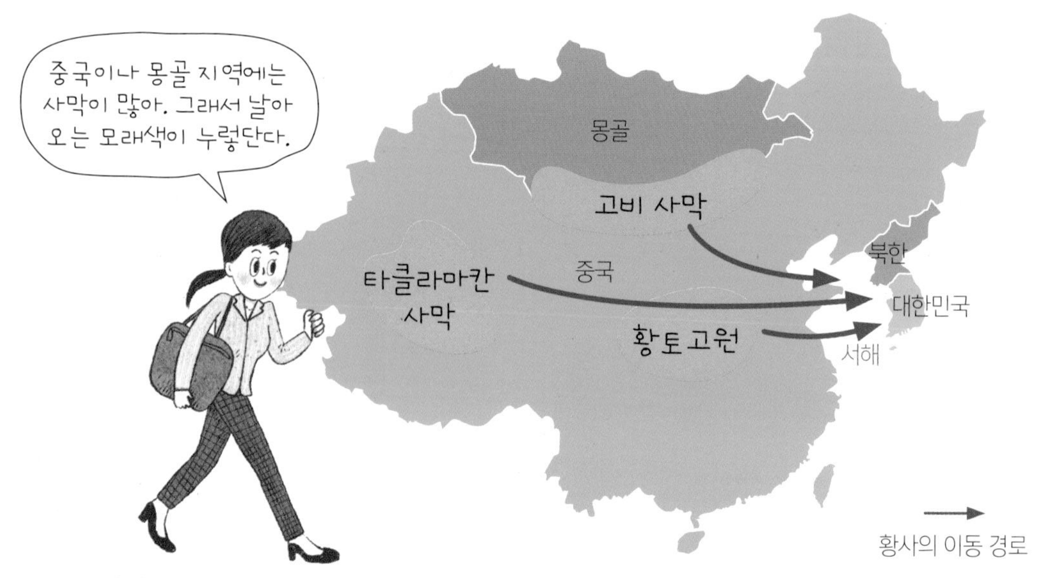

황사는 아주 옛날부터 있었던 자연 현상인데 과거 역사책에도 그 기록이 남아 있답니다.

> “신라 아달라왕 21년(174년)에 서라벌 우물이 모두 말라붙는 봄 가뭄이 계속되는 가운데 하루 종일 우토(雨土, 흙비)가 내렸다. 또한 379년과 606년 백제에 수일간 계속해 우토가 내렸으며, 644년 겨울 고구려에는 빨간 눈이 내렸다.”《삼국사기》
>
> “1550년 한양에서 흙이 비처럼 쏟아졌다. 전라도 지방에는 지붕과 곡식 잎사귀에 누렇고 허연 먼지가 뒤덮였다.”《조선왕조실록》

하지만 옛날과 지금의 황사는 같지 않아요. 요즘 불어오는 황사에는 나쁜 물질이 섞여 있거든요.

사막화와 환경 오염

우리 조상들도 겪었던 황사가 오늘날 더 큰 문제가 되는 이유는 사막화와 환경 오염 때문이에요. 지구의 기온이 점점 올라가는 온난화 현상 때문에 황사가 만들어지는 사막이 점점 넓어지고 있어요. 그래서 더 많은 모래가 바람에 실려 오지요.

또 중국 북동부 지역에 공장이 많아지고 자동차가 늘면서 엄청난 양의 화학 물질이 뿜어져 나오고 있어요. 이러한 물질이 황사와 섞이면서 우리의 몸속으로 들어와 건강을 위협한답니다.

구멍 난 하늘에서 물폭탄이?! – 호우

호우로 물에 잠긴 건물과 도로

최근 10년 동안 우리나라에 가장 큰 피해를 준 자연재해는 호우예요. 호우는 짧은 시간 동안 많은 양의 비가 내리는 것이랍니다.

하늘에 구멍이 뚫린 것처럼 강한 비가 쏟아지면 건물과 도로는 금세 물에 잠겨요.

산사태가 일어나거나 강물이 넘쳐흐르는 등 큰 피해가 생기기도 해요.

호우를 일으키는 범인 – 적란운

호우는 보통 1시간에 30밀리미터 이상의 비가 내리는 경우를 뜻해요. 이는 많은 양의 수증기를 가진 더운 공기가 있을 때 생기지요.

우리나라는 여름철에 남쪽으로부터 따뜻하고 습한 공기가 밀려와 강한 비구름이 잘 생겨요.

특히 이 공기가 북쪽에 머물던 서늘한 공기와 만나면 대기가 불안정해지면서 비구름의 세력이 매우 강해진답니다.

건조하고
차가운 공기
수증기 통로
덥고 습한
북태평양
고기압

수증기가 많아져서
강한 비구름이 만들어지기
좋은 조건이
되는구나!

· 호우 주의보
예상 강우량이 6시간 동안 70밀리미터, 또는 12시간 동안 110밀리미터 이상일 때

· 호우 경보
예상 강우량이 6시간 동안 110밀리미터, 또는 12시간 동안 180밀리미터 이상일 때

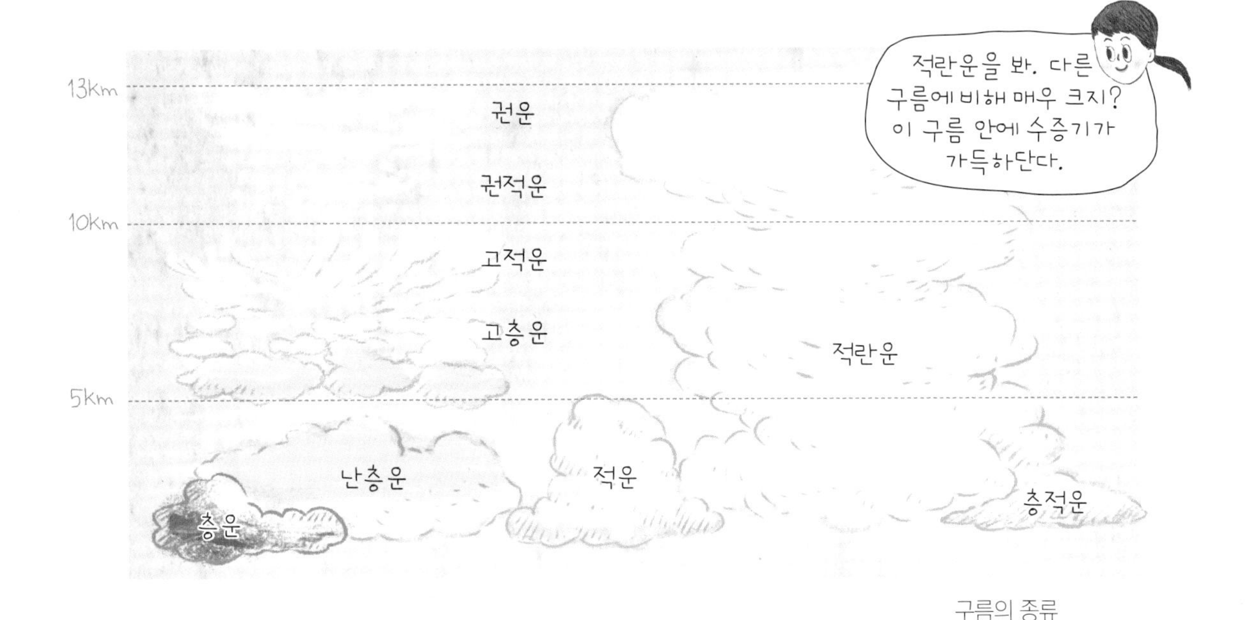

구름의 종류

습도가 높은 공기가 위로 올라가면 구름이 높게 발달하는 적란운이 생겨요. 적란운은 약 1,000만~1,500만 톤의 물을 머금고 있어요. 이 구름이 한곳에 머물며 강한 비를 뿌리기도 하는데, 이를 집중 호우라고 해요.

TIP

호우에 대비해요!

호우로 인해 피해를 입지 않으려면 다음의 안전 수칙을 꼭 기억해요.

- 갑자기 불어난 물에 휩쓸리지 않도록 물가에서 멀어져요.
- 건물 지하나 지대가 낮은 곳은 물에 잠길 수 있으니 안전한 곳으로 대피해요.
- 공사장이나 산 가까이에는 가지 않아요.
- 가로등이나 신호등처럼 강한 전기가 흐르는 곳 주변에 가까이 가지 않아요.

흙과 모래로 뒤덮인 도로

땅 위를 할퀴고 지나가는 공포의 소용돌이 – 태풍

호우 다음으로 우리에게 큰 피해를 준 기상 재해는 태풍이에요. 태풍이 온다는 소식이 들리면 사람들은 늘 조마조마하지요. 이러한 태풍은 어디서, 어떻게 만들어질까요?

거대한 소용돌이

태풍은 필리핀 근처에 있는 북태평양에서 처음 만들어져요. 그러다 바다에서 뿜어져 나오는 뜨거운 수증기를 모아 점점 강해지면서 북쪽으로 올라오지요.

이곳에서 1년 동안 발생하는 태풍의 수는 약 25개 정도예요. 이 가운데 우리나라에 영향을 주는 태풍은 3개 정도지요. 그러나 2012년에는 무려 5개의 태풍이 연이어 찾아와 우리나라에 어마어마한 피해를 줬어요. 태풍에 피해를 본 집과 도로를 원래대로 돌려놓을 틈도 없이 새로운 태풍이 생겨나 우리나라로 향한 거예요.

북태평양에서 태풍이 만들어졌다는 소식이 들리면 어느 쪽으로 향할지, 얼마나 강할지에 관심이 모아져요. 기상청이나 공공 기관의 관련 부서는 물론, 재해 뉴스를 보도하는 기상 전문 기자도 잔뜩 긴장할 수밖에 없답니다. 제발 큰 피해 없이 지나가기를 바라는 마음은 누구나 똑같을 거예요.

태풍의 눈을 중심으로 강한 바람이 소용돌이치며 이동한다.

여름 태풍보다 더 무서운 가을 태풍

가을은 다른 계절보다 날씨가 좋은 시기예요. 하지만 최근 들어 가을 태풍이 잦아지고 있어요. 지구 온난화와 불안정한 대기 때문이지요.

지구 온난화는 바다를 매우 뜨겁게 만들어요. 이때 생기는 뜨거운 수증기는 강한 태풍의 재료가 되지요. 여름에는 북태평양 고기압 때문에 태풍이 우리나라에 오지 못할 때가 많아요. 하지만 가을에는 고기압이 줄어들면서 태풍이 오는 길을 열어 줘요. 태풍과 북쪽에서 내려온 차가운 공기가 만나 대기가 불안정해져요. 이 때문에 여름 태풍보다 더 강한 비와 바람이 생기지요. 앞으로 지구 온난화가 더 심해지면 10월, 11월에도 태풍이 우리나라를 덮칠지도 모른답니다.

TIP

같은 현상, 다른 이름 - 태풍, 허리케인, 사이클론

태풍, 허리케인, 사이클론은 모두 같은 원리로 만들어져요. 다만 어느 곳에서 생기는지에 따라 부르는 이름이 다르지요. 필리핀 주변에서 생기면 태풍, 아메리카 대륙 주변에서 생기면 허리케인, 인도양 주변에서 생기면 사이클론이라고 해요.

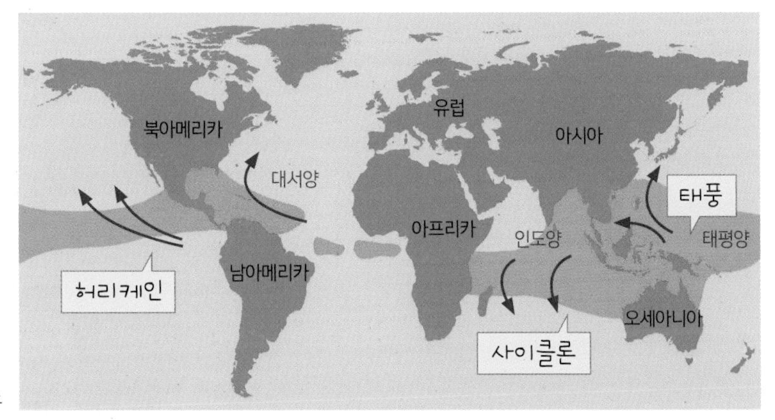

발생 장소

눈이 펑펑, 기온이 뚝! – 대설과 한파

여름에 호우와 폭염이 우릴 힘들게 했다면, 겨울에는 대설과 한파가 기다리고 있어요. 이 두 현상은 우리에게 어떤 피해를 줄까요?

온 세상을 하얗게 뒤덮는 대설

대설은 짧은 시간에 눈이 많이 내리는 현상으로, 보통 1시간에 1~3센티미터 이상, 하루에 5~20센티미터 정도의 눈이 내리는 경우를 말해요.

건물이 무너지는 것을 막기 위해 지붕에 쌓인 눈을 치우는 사람들

하얀 눈이 펑펑 쏟아지는 풍경은 매우 아름다워요. 하지만 도로나 지붕에 가득 쌓이면 교통사고나 건물 붕괴의 원인이 되지요. 공항에서는 비행기가 뜨지 못하고, 산에서는 눈사태가 일어날 수도 있어요.

눈이 내리면 미끄러지는 것을 막기 위해 도로에 염화칼슘이나 모래 같은 제설제를 뿌려야 해요.

여러모로 불편한 점도 많고, 사고가 날까 봐 걱정되지요? 그러므로 눈이 내리면 많이 쌓이기 전에 미리미리 치우는 것이 중요하답니다.

- 대설 주의보
  눈이 하루에 5센티미터 이상 내릴 것으로 예상될 때
- 대설 경보
  눈이 하루에 20센티미터 이상 내릴 것으로 예상될 때

온 세상을 꽁꽁 얼어붙게 하는 한파

한파는 온도가 갑자기 내려가면서 들이닥치는 추위예요. 겨울에 우리나라 북서쪽에서 차가운 성질의 시베리아 고기압이 발달하면서 주기적으로 찾아오지요.

예전에는 '삼한사온'이라는 말을 썼어요. 3일 추우면 4일은 따뜻하다는 겨울철 날씨를 표현한 말이에요. 그러나 요즘은 북극에서 찬 공기가 계속 밀려와 일주일 내내 추울 때가 있어요. 반대로 따뜻한 날씨가 이어질 때도 있지요. 이처럼 겨울 날씨는 점점 변덕스럽게 변하고 있답니다.

TIP

체감 온도란?

실제 기온이 아닌, 우리 몸이 느끼는 온도예요. 얼굴에 센서를 부착한 뒤 서로 다른 기온과 풍속에서 피부 온도와 열을 잃는 정도가 어떻게 변하는지 계산해서 구하지요. 겨울에는 일기 예보를 확인할 때 기온과 더불어 체감 온도가 몇 도인지 항상 귀 기울여야 해요.

매우 추운 날 외출해야 할 때는 반드시 옷을 따뜻하게 입고, 모자를 쓰렴!

겨울철 야외에서의 체감 온도에 따른 인체 변화

- 영하 9도 ~ 영하 16도 : 드러난 피부가 매우 차가워짐
- 영하 17도 ~ 영하 23도 : 피부가 긴 시간 드러나면 동상에 걸림
- 영하 24도 ~ 영하 32도 : 피부가 짧은 시간만 드러나도 동상에 걸림
- 영하 32도 미만 : 생명이 위험

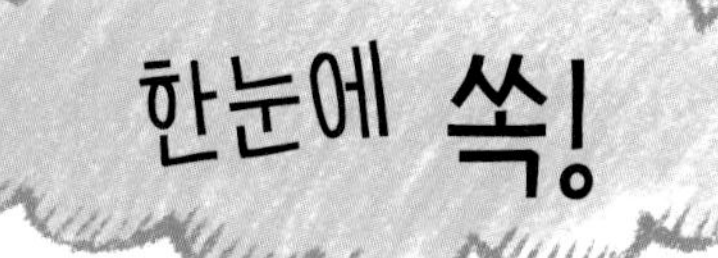

우리를 위협하는 기상 재해

황사

- 봄철 건조한 날씨에 강한 바람을 타고 날아오는 누런 모래
- 고비 사막이나 타클라마칸 사막에서부터 수천 킬로미터를 날아옴
- 《삼국사기》, 《조선왕조실록》 등 옛 문헌에 기록된 내용을 통해 옛날부터 있던 자연 현상임을 알 수 있음
- 사막화와 환경 오염 때문에 황사 현상이 더 심해짐
- 요즘 황사에는 해로운 화학 물질이 섞여 있어 건강을 위협함

호우

- 1시간에 30밀리미터 이상의 비가 내리는 경우
- 호우 주의보 : 예상 강우량이 6시간 동안 70밀리미터, 또는 12시간 동안 110밀리미터 이상일 때
- 호우 경보 : 예상 강우량이 6시간 동안 110밀리미터, 또는 12시간 동안 180밀리미터 이상일 때
- 많은 양의 수증기를 가진 더운 공기가 있을 때 발생
- 집중 호우 : 적란운이 한곳에 머물며 강한 비를 뿌리는 현상
- 대비 방법 : 다음과 같은 곳 피하기
  - 물가, 지하, 낮은 곳, 공사장, 산 주변, 가로등이나 신호등 주변

태풍

- 필리핀 근처에 있는 북태평양에서 처음 만들어짐
- 바다에서 뿜어져 나오는 뜨거운 수증기를 흡수하면서 점점 강해지면서 북쪽으로 올라옴
- 지구 온난화 때문에 바다의 온도가 올라가 가을에도 뜨거운 수증기 발생
  ⋯→ 가을 태풍이 잦아진 이유

대설

- 짧은 시간에 눈이 많이 내리는 현상
- 1시간에 1~3센티미터, 하루에 5~20센티미터 정도의 눈이 내릴 때
- 대설 주의보 : 눈이 하루에 5센티미터 이상 내릴 것으로 예상될 때
- 대설 경보 : 눈이 하루에 20센티미터 이상 내릴 것으로 예상될 때
- 교통사고, 건물 붕괴, 눈사태 등의 원인이 됨
- 염화칼슘, 모래 등 제설제를 이용하여 빙판길 미끄러움을 방지

한파

- 온도가 갑자기 내려가는 현상
- 삼한사온 : 3일 추우면 4일 따뜻하다는 뜻, 겨울철 날씨 표현
  ⋯→ 그러나 일주일 내내 춥거나, 따뜻한 날씨가 계속되는 등
  겨울 날씨가 변덕스럽게 변하고 있음

한 걸음 더!

태풍 이름의 비밀

뉴스나 신문, 인터넷에서 태풍 기사를 종종 볼 수 있어요. 그중에서도 큰 피해를 준 태풍들은 사람들의 기억 속에 오랫동안 남지요. 2012년 볼라벤, 2016년 차바처럼 말이에요. 이러한 태풍의 이름은 누가, 어떻게 짓는 걸까요?

태풍의 이름은 140개

태풍의 이름은 태풍위원회에서 정해요. 이 기구에는 우리나라를 비롯해 태풍에 영향을 받는 14개 나라가 속해 있어요. 이 나라들이 10개씩 제출한 이름(총 140개)을 태풍의 이름으로 사용해요.

우리나라에서 제출한 이름은 개미, 나리, 장미, 미리내, 노루, 제비, 너구리, 고니, 메기, 독수리예요.

북한에서도 기러기, 도라지, 날개 등 10개의 이름을 제출했어요. 그래서 태풍 이름 중에 한글 이름이 20개나 된답니다.

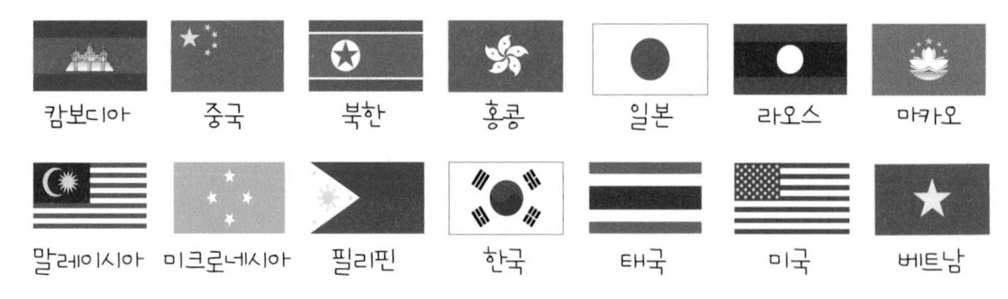

태풍위원회 14개 회원국

반복하여 사용하는 태풍의 이름

각 나라에서 정한 140개의 이름을 모두 사용하고 나면 어떻게 될까요? 그러면 다시 맨 처음으로 돌아가 반복하여 사용해요.

태풍은 1년에 20~30개쯤 생겨요. 따라서 140개 이름은 4~7년마다 다시 등장한답니다.

다시는 못 만날 태풍 매미와 나비

태풍위원회는 매년 총회를 열어요. 이 회의에서 그 해 큰 피해를 준 태풍의 이름을 없애기도 해요.

대표적인 예로 매미와 나비가 있어요. 매미는 2003년에 우리나라를, 나비는 2005년에 일본을 강타하여 엄청난 재해를 일으켰어요. 결국 명단에서 매미와 나비를 빼고 다른 이름을 대신 넣었지요.

이처럼 엄청난 피해를 입힌 태풍 이름을 목록에서 빼는 이유는 무엇일까요? 바로 비슷한 피해가 또다시 오지 않길 바라는 마음에서예요. 또한 태풍 이름을 듣기만 해도 끔찍한 고통이 되살아나는 것을 막기 위해서랍니다.

태풍 피해로 무너진 비닐하우스와 도로

4화

미세 먼지 때문에 숨 쉬기 힘들어!

건강 날씨와 우리 몸

· 황사보다 위험한 미세 먼지
· 생명을 앗아 가는 불볕더위
· 손이 꽁꽁, 체온이 뚝! - 겨울 추위
한눈에 쏙 - 날씨와 우리 몸
한 걸음 더 - 죽음의 공포로 몰아넣은 스모그

"콜록콜록!"

아인이가 감기에 걸렸는지 며칠째 기침을 계속했어요. 날씨는 별로 춥지 않은데 증상은 더욱 심해졌지요.

"아인아, 안 되겠다. 빨리 병원 가자."

학교도 못 가고 밥도 제대로 먹지 못해 핼쑥해진 아인이는 엄마를 따라 병원으로 향했어요. 대기실은 아픈 사람들로 가득했어요. 사람들은 마스크를 한 채 기침을 하고 콧물을 훌쩍이는 등 모두 아인이와 비슷한 증상이었어요. 이윽고 아인이의 차례가 되었어요. 진료실에 들어가 앉자, 의사 선생님은 아인이의 목과 코를 자세히 살펴봤어요.

"기관지염이네요. 요즘 먼지가 심해서 비슷한 증상으로 오는 사람이 많아요."

"먼지 때문에 기관지염에 걸린다고요? 그럴 수도 있어요?"

아인이가 쉰 목소리로 말했어요. 목이 아픈 게 먼지 때문이라는 말을 이해할 수 없었거든요. 그때 엄마가 말했어요.

"그냥 먼지가 아니라 아주 독한 미세 먼지 때문이야."

진료를 마치고 나오려는데, 의사 선생님이 아인이에게 꼭 마스크를 쓰고 다니라고 당부했어요. 아인이는 병원을 나오며 엄마에게 물었어요.

"엄마, 미세 먼지가 뭐예요?"

"눈에 보이지 않는 아주 작은 먼지야. 황사는 알지? 미세 먼지는 황사보다 훨씬 작아서 우리가 숨 쉴 때 쉽게 호흡기로 들어온단다."

"어쩐지 요즘 계속 목이 아팠어요. 까슬까슬한 느낌도 들고요."

"남서풍이 불어올 때는 중국에서 오염 물질이 섞인 미세 먼지가 많이 날아와. 거기에 공장이나 화력 발전소, 자동차가 내뿜는 오염 물질도 함께 섞이면서 대기를 나쁘게 만들지."

"으~ 겨울인데 안 춥다고 좋아했더니, 좋아할 일이 아니었네요."

"그래. 겨울은 추워야 제맛이지? 차가운 북서풍이 강하게 불면 대기가 활발하게 돌면서 미세 먼지도 씻어 내고 공기가 깨끗해지거든. 춥겠지만 말이야."

아인이는 그 후로 며칠 동안 약을 먹고 집에서 푹 쉬었어요. 다인이는 스케이트나 눈썰매를 타러 가고 싶었지만, 아인이가 다 나을 때까지 참기로 했어요. 마스크를 한 채 혼자 등굣길에 나서는 다인이의 모습은 조금 외로워 보였어요.

"엄마, 봄에는 황사가 오고, 겨울엔 미세 먼지가 와요?"

몸이 조금 좋아진 아인이가 한층 밝아진 얼굴로 물었어요. 창밖은 여전히 희뿌연 먼지로 가득 차 있었지요.

"황사가 봄에 오는 건 맞지만, 미세 먼지는 계절에 관계없이 언제든지 나타날 수 있어. 미세 먼지를 내보내는 공장이나 자동차는 어느 한 계절에만 일하는 게 아니라 1년 내내 활동하니까. 한 가지 중요한 점이 있다면, 추울 때는 중국에서 더 많은 먼지가 날아와."

"왜요? 중국에서 무슨 일이 벌어지나요?"

"중국에서는 겨울철에 석탄을 때서 난방을 하는 집이 많거든. 석탄을 태울 때 생긴 미세 먼지가 바람을 타고 우리나라로 날아온단다. 중국의 큰 도시에서는 겨울철마다 심각한 스모그에 시달리지."

"스모그요?"

"응. 자동차 매연이나 먼지가 안개처럼 떠다니는 현상이야. 중국에선 앞이 보이지 않을 정도로 짙은 스모그가 자주 생겨서 교통사고가 나기도 해. 또 매년 폐암으로 많은 사람이 목숨을 잃는단다."

"중국이 만든 오염 물질 때문에 우리가 피해를 보다니, 억울해요!"

"물론 우리나라에서 발생하는 오염 물질도 많이 섞인단다. 그래서 우리나라는 중국과 함께 미세 먼지를 줄이기 위한 연구를 하고 있어. 근본적인 방법은 석탄이나 석유같이 먼지를 많이 내뿜는 연료 대신 오염 물질이 거의 없는 청정에너지를 사용하는 거야."

"아하! 바람이나 태양 에너지 같은 거 말이죠? 제주도에 놀러 갔을 때

봤던 풍력 발전소 같은 거요."

"그래, 맞아! 그런 거!"

때마침 학교에 다녀온 다인이가 집으로 뛰어들어왔어요.

"엄마! 미세 먼지에는 삼겹살이 좋대요! 오늘 저녁에 삼겹살 먹어요!"

"에이, 그건 다 과학적으로 근거가 없는 이야기야."

"그래도 고기 먹고 싶으니까 삼겹살 먹어요. 네? 엄마아~!"

다인이의 떼쓰는 모습에 엄마와 아인이는 웃음을 터뜨렸답니다.

황사보다 위험한 미세 먼지

3화에서 알아본 황사는 중국 북부나 몽골 사막에 있는 모래가 강한 바람을 타고 한반도까지 이동하는 자연적인 현상이었어요.

황사와 달리 미세 먼지는 석탄이나 석유 같은 화석 연료를 태울 때나 자동차에서 나오는 대기 오염 물질이에요.

세계보건기구(WHO)는 미세 먼지를 1급 발암 물질로 정했어요. 미세 먼지를 많이 마시면 암에 걸릴 위험이 높다는 뜻이지요.

보이지 않는 살인자

미세 먼지는 매우 작아서 눈에 보이지 않아요. 특히 초미세 먼지는 사람의 머리카락 굵기의 30분의 1이라고 하니 아주 작지요.

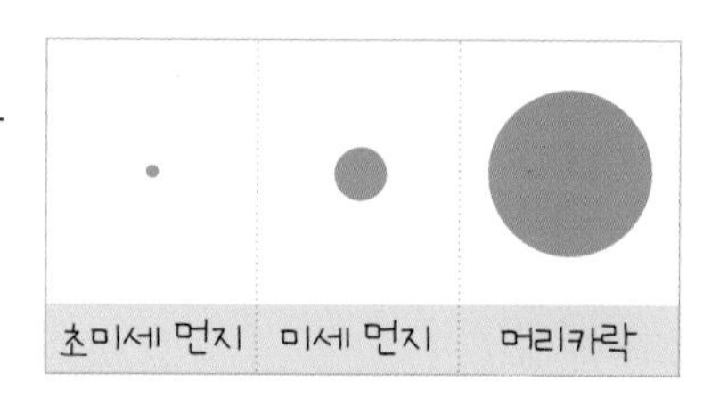

머리카락과 미세 먼지의 크기

이러한 미세 먼지는 사람이 숨을 쉴 때 콧속에서 걸러지지 않고 바로 호흡기★로 들어와 몸을 망가뜨리고 여러 질병을 일으켜요. 눈에 닿으면 눈병을 일으키지요. 또한 식물이 숨 쉬는 구멍인 기공을 막아 잘 자라지 못하게 해요. 그래서 미세 먼지를 '보이지 않는 살인자'라고 부른답니다.

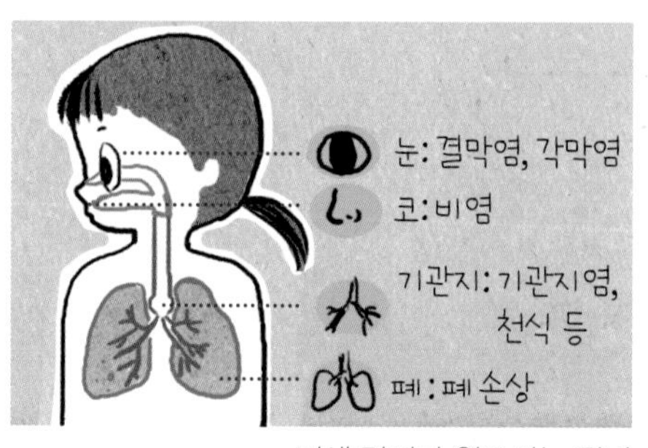

미세 먼지가 일으키는 질병

★ **호흡기** 숨 쉬는 일을 담당하는 몸의 기관

미세 먼지가 많은 날, 어떻게 해야 할까?

미세 먼지는 계절을 가리지 않고 우리에게 큰 피해를 줘요. 따라서 날씨 예보를 확인하듯, 항상 미세 먼지가 많은지 적은지 확인하고 대비해야 해요.

2016년 여름, 우리나라는 매우 뜨거웠어요. 기상청은 150년에 한 번 일어날 수 있는 기록적인 무더위였다고 설명했어요. 특히 낮 동안 뜨거워진 콘크리트와 아스팔트는 밤에도 계속 열을 내보내기 때문에 큰 도시의 폭염은 심각하답니다.

체온 조절에 빨간불이?! - 일사병과 열사병

날씨가 더울 때, 우리 몸은 열을 밖으로 내보내기 위해 피부 혈관을 넓혀요. 이 때문에 얼굴이 붉어져요. 또한 심장이 빨리 뛰고, 땀을 많이 내보내기 때문에 물을 마시고 싶어지지요.

이는 우리 몸의 체온을 일정하게 유지하기 위해 생기는 현상이에요. 이 역할은 어느 기관에서 담당할까요? 바로 뇌에서 지시한답니다. 이 활동에 문제가 생기면 매우 위험해요. 일사병이나 열사병에 걸리기 때문이에요.

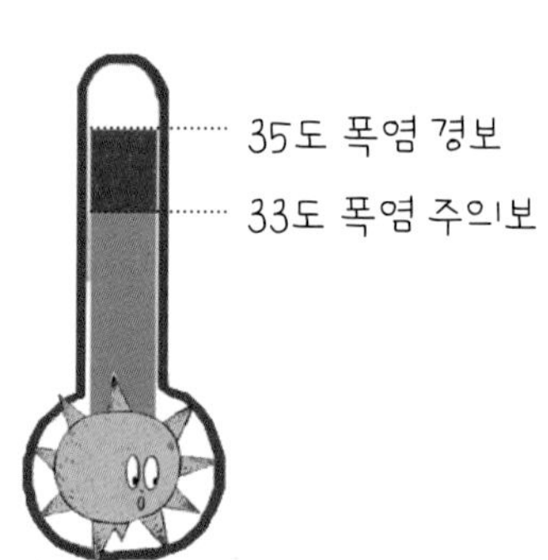

- **폭염 주의보** 6~9월 하루 최고 기온이 33도 이상인 상태가 2일 이상으로 예상될 때
- **폭염 경보** 6~9월 하루 최고 기온이 35도 이상인 상태가 2일 이상으로 예상될 때

일사병 강한 햇볕을 오랫동안 쬐면 두통이나 어지럼증을 느끼게 되고, 땀도 평소보다 더 많이 흘려요. 이러한 증상을 흔히 더위 먹었다고 하는데, 일사병일 수 있으니 조심해야 해요.

일사병은 체온 조절에 문제가 생겨 체온이 37~40도까지 오르는 병이에요. 원래 사람은 평소에 체온이 36.5도 정도이지요. 일사병에 걸리면 시원한 장소에서 물을 충분히 마시고, 찬물로 적신 수건으로 온몸을 닦으며 휴식을 취해야 해요.

열사병 일사병과 비슷한 증상을 보이지만, 체온이 40도 이상으로 오르거나 헛소리를 하는 등 정신 상태가 이상해지면 열사병일 가능성이 커요. 체온 조절 능력이 떨어진 상태에서 강한 햇볕을 쬐면 걸리게 되지요. 증세가 심할 경우, 정신을 잃고 쓰러지거나 몸의 여러 기관이 망가질 수 있어요.

이런 사람을 발견했다면, 최대한 빨리 환자의 체온을 떨어뜨려야 해요. 찬물이나 얼음으로 환자의 몸을 차갑게 해야 하지요. 더불어 119 안전신고센터에 전화하여 즉시 병원으로 옮겨요.

건강한 여름을 보내려면?

불볕더위 속에서 더위를 먹지 않으려면 어떻게 해야 할까요? 지금부터 더위를 이기기 위한 방법을 알아봐요.

더운 시간인 오전 11시부터 오후 5시까지는 야외 활동을 피해요.

외출할 때는 모자나 양산을 써서 햇빛을 피해요.

수분 보충을 위해 물을 자주 마셔요.

땀이 많이 나서 몸에 수분이 부족해!

바람이 잘 통하는 옷을 입어요.

TIP

불쾌지수와 식중독 지수

불쾌지수

무더위가 계속되면 온몸이 끈적끈적하고 숨을 쉬기가 힘들어요. 이렇게 개개인이 느끼는 불쾌감의 정도를 기온과 습도를 이용해 수치로 나타내는데요. 이를 불쾌지수라고 해요.

기상청은 6월에서 9월 사이에 불쾌지수를 발표해요. 불쾌지수가 75 이상이면 전체 사람 가운데 50퍼센트, 그러니까 절반 정도가 불쾌함을 느낀다는 뜻이에요. 80 이상으로 올라가면 모든 사람이 불쾌감을 느끼므로 주의해야 해요.

불쾌지수	68 미만	68~74	75~79	80 이상
상태	쾌적	10% 불쾌	50% 불쾌	100% 불쾌

식중독 지수

과거 3년 동안 식중독이 발생했던 지역의 온도와 습도를 계산하여, 식중독이 잘 걸리는 조건을 수치로 나타낸 것이에요.

식중독이란 음식물에 들어 있는 나쁜 세균이나 물질이 우리 몸에 들어와 일으키는 병이에요. 식중독에 걸리면 설사나 구토 등의 증상이 나타나지요.

식중독 지수가 '경고'나 '위험' 단계면, 식중독에 걸릴 위험이 매우 높아요. 따라서 요리를 만들 때는 음식의 재료가 상하지 않게 주의해야 해요.

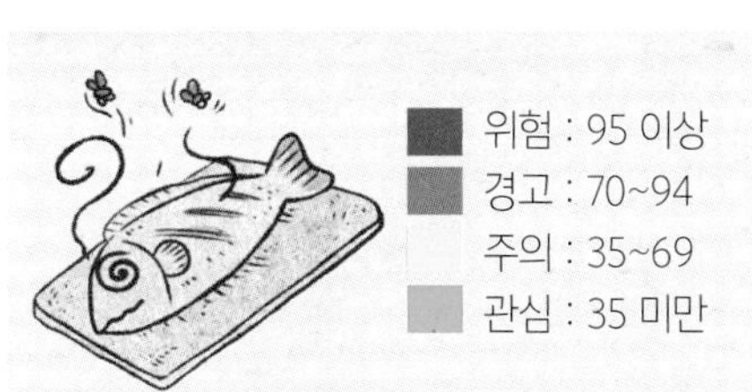

만약 음식물을 먹은 뒤 구토나 설사 등의 증상이 나타나면 즉시 병원으로 가요.

손이 꽁꽁, 체온이 뚝! – 겨울 추위

더운 여름에 더위를 조심해야 하는 것처럼, 추운 겨울에는 추위를 조심해야 해요. 우리 몸은 추위에도 약하기 때문이지요.

겨울바람 때문에 손이 꽁꽁꽁!

추운 겨울에 우리 몸이 가장 입기 쉬운 피해는 무엇일까요? 바로 동상이에요.

기온이 낮아지면 우리 몸은 몸속 기관을 보호하는 데 집중해요. 그래서 얼굴이나 손처럼 겉으로 드러나 있는 피부에는 피의 흐름이 줄어들어요. 따뜻하게 보호받지 못한 부위는 피가 적게 흘러서 얼어 버리고 동상에 걸리지요.

저체온증을 조심해!

우리 몸이 추운 날씨를 견디지 못하면 체온이 35도 이하로 떨어지는데, 이를 저체온증이라고 해요.

저체온증에 걸리면 피부가 창백해지고 입술이 푸른색으로 변해요. 더 심해지면 심장이 불규칙하게 뛰고 혈압이 내려가서 의식을 잃을 수도 있어요. 심각한 경우에는 심장이 멈추면서 목숨을 잃을 수도 있어요.

특히 추운 날씨에 야외에서 젖은 옷을 입고 있으면 저체온증에 걸릴 위험이 매우 높으므로 주의해야 해요.

동상과 저체온증 없는 건강한 겨울을 보내려면?

강추위 속에서 건강한 겨울을 나기 위한 방법을 알아봐요.

날씨와 우리 몸

미세 먼지

- 화석 연료를 태울 때나 자동차에서 나오는 대기 오염 물질
- 매우 작기 때문에 눈에 보이지 않음
- 숨을 쉴 때 호흡기로 들어와 여러 질병을 일으킴
- 날씨 예보를 확인하듯, 항상 미세 먼지의 양을 확인하고 대비할 것

폭염

- 날씨가 더울 때 일사병과 열사병에 걸릴 위험이 높음
- 일사병과 열사병의 원인은 더위 때문에 체온 조절에 문제가 생기기 때문
- 일사병 : 더위 때문에 체온이 37~40도까지 오르는 병
  ··· 증상 - 두통이나 어지럼증 느낌, 땀이 평소보다 많이 남
- 열사병 : 더위 때문에 체온이 40도 이상으로 오르거나 정신 상태가 이상해짐
  ··· 증상 - 일사병과 비슷하나 정신을 잃고 쓰러지면 몸의 기관이 망가질 수도 있음
- 일사병이나 열사병에 걸렸을 경우
  ··· 찬물이나 얼음으로 환자의 몸을 차갑게 하기
  ··· 상태가 심각할 경우 119에 전화하여 병원으로 옮기기

불쾌지수

- 개개인이 느끼는 불쾌감의 정도를 나타낸 수치
- 기상청에서 6월에서 9월 사이에 발표

불쾌지수	68 미만	68~74	75~79	80 이상
상태	쾌적	10% 불쾌	50% 불쾌	100% 불쾌

식중독 지수

- 식중독이 잘 걸리는 조건을 수치로 나타낸 것
- 식중독 : 음식물에 들어 있는 나쁜 세균이나 물질이 우리 몸에 들어와 설사나 구토 등을 일으키는 병
- 지수가 '경고'나 '위험' 단계면, 식중독에 걸릴 위험이 매우 높음

강추위

- 기온이 낮아지면, 동상이나 저체온증에 걸릴 위험이 높음
- 저체온증 : 추운 날씨 때문에 체온이 35도 이하로 떨어지는 병
  ⋯› 증상 – 피부가 창백해지고 입술이 푸른색으로 변함
  더 심해지면 심장이 불규칙하게 뛰고 의식을 잃음
- 몸을 따뜻하게 보호할 수 있도록 모자, 장갑, 핫 팩 등을 이용할 것

한 걸음 더!

죽음의 공포로 몰아넣은 스모그

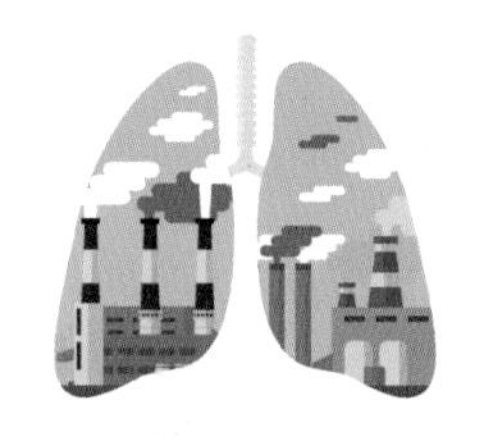

스모그는 연기를 뜻하는 스모크(smoke)와 안개를 뜻하는 포그(fog)를 합쳐서 만든 말이에요. 오염 물질이 안개에 섞여서 발생하지요.

스모그는 호흡기와 심장, 피부 등 우리 몸에 크고 작은 문제를 일으켜요. 대도시인 영국 런던과 미국 로스앤젤레스에서, 살인적인 스모그로 많은 사람이 병에 걸린 큰 사건이 있었답니다.

런던에 밀려온 죽음의 안개

산업 혁명이 가장 먼저 일어난 영국의 수도 런던은 수많은 인구가 모여 사는 대도시였어요. 그곳에는 발전소와 제철소 같은 공장이 많았고, 굴뚝에서는 시커먼 연기가 늘 뿜어져 나왔지요.

1952년 12월 5일 런던 하늘에 자욱한 안개가 끼기 시작했어요. 안개 속에는 석탄을 쓸 때 나오는 오염 물질 '이산화황'이 가득했지요.

검은 안개는 며칠 동안 사라지지 않았어요. 호흡기와 심장에 문제가 생긴 환자들이 생기기 시작했고, 4,000여 명이 목숨을 잃었지요.

1952년 12월, 런던의 모습

영국 정부는 이 사건을 계기로, 특정 지역에서는 석탄을 사용하지 못하게 하는 법을 만들었어요. 이 사건은 환경 오염 때문에 수많은 사람들이 병들고 죽을 수 있다는 사실을 깨닫게 된 최악의 사례로 꼽힌답니다.

자동차 왕국 미국을 덮친 스모그

1940년대 미국 로스앤젤레스 시민들은 매캐한 냄새를 맡으며 하루하루를 생활했어요. 당시는 큰 전쟁이 벌어지던 때라, 사람들은 총이나 대포의 화염 때문에 공기가 탁해진 거라고 생각했어요.

그런데 시간이 지날수록 가슴 통증과 눈병이 나는 사람들이 늘어났어요.

가축과 농작물도 피해를 입기 시작했지요. 과학자들이 원인을 분석한 결과, 자동차 배기가스가 스모그를 만들어 낸다는 사실을 알아냈어요.

그 후로 자동차의 배기가스를 줄여야 한다는 목소리가 높아졌어요. 하지만 당시에는 자동차나 석유 업체의 반대가 매우 심했지요. 결국 스모그의 원인을 밝혀낸 지 30년 만인 1970년에서야 '대기 오염 방지법'이 만들어졌답니다.

하지만 지금까지도 자동차는 계속 늘고 있어요. 사람들은 환경 문제를 해결하기 위해 더 강한 규제를 만들거나, 오염 물질이 배출되지 않는 전기 자동차를 만드는 등 다양한 노력을 기울이고 있답니다.

測雨臺
乾隆庚寅五月造

최초의 일기 예보는 언제?

역사 날씨 관측과 예보의 역사

- 옛날 사람들이 남긴 날씨 정보
- 날씨 관찰과 기구
- 날씨를 보여 주는 요술 지도 – 일기도

한눈에 쏙 - 날씨 관측과 예보의 역사

한 걸음 더 - 우리나라는 언제부터 기상 관측을 했을까?

"엄마, 이제 우리 차례예요."

아인이가 붉게 상기된 얼굴로 말했어요. 스튜어디스 언니는 탑승권과 여권을 보더니 미소를 지으며 통과시켜 줬어요. 다인이도 겉으로는 씩씩한 척했지만 두근거리는 마음은 아인이와 마찬가지였답니다.

엄마와 아이들은 처음으로 해외여행을 가게 됐어요. 비행기는 괌으로 향했어요. 남매는 창밖 풍경을 구경하고 기내식도 먹으며 즐거워했어요. 그러다 보니 벌써 괌 공항에 착륙한다는 기내 방송이 들렸어요.

공항에 내리자마자 덥고 축축한 공기가 밀려와 숨이 탁 막혔어요. 키가 큰 야자수가 아이들을 반겨 줬어요.

"엄마! 우리나라 풍경이랑 정말 달라요!"

"벌써 땀이 나요. 얼른 리조트로 가요. 수영할래요."

아이들은 피곤하지도 않은지, 숙소에 도착해 짐을 풀자마자 곧장 수영장에서 물놀이를 시작했어요. 바로 그때 맑던 하늘에 시커먼 먹구름이 드리워졌어요. 갑자기 굵은 빗방울이 떨어지고, 사람들은 하나둘씩 수영장을 빠져나갔지요.

"얘들아! 잠시 나오렴. 스콜인 것 같구나."

"스콜이요?"

남매는 수영장에서 나오면서 매우 아쉬워했어요.

"힝, 짧은 휴가인데 이렇게 비가 오다니……. 하루를 망친 기분이야."

"엄마는 날씨를 취재하는 기자면서 날씨 확인도 안 하셨어요?"

다인이의 투덜거림에 엄마가 웃으며 말했어요.

"실망했니? 엄마가 미안하다고 해야겠는걸. 하하하. 조금만 기다려 봐.

주스 한 잔 마시는 동안에 어떤 변화가 일어나는지 잘 보렴."

커다란 야자수 나뭇잎을 쉴 새 없이 적시던 빗방울은 어느 순간 약해졌어요. 어두컴컴하던 하늘도 밝아지더니 다시 눈부신 햇살이 쏟아지기 시작했죠. 비는 기껏해야 5분 정도 내린 것 같아요. 유쾌하게 떠드는 소리가 점점 커지더니 수영장은 어느새 사람들로 가득 찼지요.

"엄마! 어떻게 된 거예요?"

"열대 지방에서는 스콜이라고 부르는 짧은 소나기가 자주 내려. 길어야 5분에서 10분 정도 쏟아지지. 적도에 가까운 열대 지방은 태

양 에너지를 많이 받잖니? 그래서 뜨거워진 공기가 상승하는 현상이 활발해서 1년 내내 소나기구름이 잘 만들어진단다."

"비가 많이 내려서 나무들이 저렇게 길쭉길쭉 잘 자라나 봐요."

"응, 맞아. 열대 지방은 강수량이 많고 기온이 높아서 식물들도 키가 크지. 또 스콜은 한낮의 뜨거운 열기도 식혀 주는 고마운 현상이야."

상황을 이해한 남매는 다시 물속으로 몸을 던져 신나게 놀았어요.

부모님과 함께 괌에서 지내는 동안 아이들은 얼굴이 까맣게 그을릴 정도로 실컷 물놀이를 했답니다. 물론 그동안에도 스콜은 자주 쏟아졌고

머리카락이 심하게 날릴 정도의 강한 바람도 불었어요. 언제나 바람은 따뜻하고 습기를 많이 머금고 있었지요.

한국으로 돌아오는 날, 엄마는 우연히 아인이의 일기장을 보았어요. 일기엔 여행에서의 즐거웠던 일뿐만 아니라, 날씨 이야기도 있었지요.

오늘은 '사랑의 절벽'이란 곳에 갔다. 아름다운 원주민 여자가 아버지의 반대 때문에 자신이 사랑하는 남자와 함께 뛰어내렸다는 전설이 있다고 한다. 엄마는 나와 다인이에게 결혼하지 말고 평생 같이 살자고 그랬다. 일단 대답은 하지 않았다. ^^;;

리조트로 돌아오는데 또 스콜이 쏟아졌다. 그리고 금세 다시 맑아졌다. 방에 들어와 텔레비전을 켰는데 일기 예보가 나왔다. 일기예보는 어느 나라든지 비슷한 것 같다.

"아인아, 다인아! 매일 일기장에 날씨에 대한 기록을 남긴다면 어떻게 될까? 평생 100살 가까이 산다면, 거의 100년에 가까운 날씨 정보가 생기겠지. 그럼 정말 엄청난 자료가 될 거야. 아주 먼 옛날 사람들은 이러한 날씨 정보를 기록하여 남겼단다."

"그럼 과거와 현재의 날씨를 비교할 수 있겠네요?"

"역시 조상들은 지혜롭다니까!"

남매는 집에 돌아가서 옛날 사람들이 남긴 날씨 정보를 찾아보기로 했답니다.

옛날 사람들이 남긴 날씨 정보

아침에 일어났을 때 사람들은 그날의 날씨를 궁금해해요. 주말이나 휴가를 앞두고 계획을 세울 때도 마찬가지예요.

고대 사람들도 날씨에 대해 알기 위해 많은 노력을 기울였어요. 열매를 따 먹거나 동물을 잡아먹으며 생활하던 때에도, 농사를 짓기 시작한 때에도 날씨는 중요한 정보였기 때문이지요.

날씨에 대한 최초의 기록

기원전 1200년경, 고대 중국에는 갑골 문자라는 것이 있었어요. 거북의 등딱지나 동물의 뼈인 갑골에 글자를 새긴 것이지요. 글은 주로 그날그날의 날씨를 점친 내용이었어요. 이런 기록을 보면 인류가 얼마나 오래전부터 날씨를 중요하게 여겼는지 알 수 있어요.

과거의 조상들은 하늘의 색과 구름의 모양, 동물이나 식물을 보고 앞으로의 날씨를 예측하기도 했답니다.

날씨를 알려 주는 속담의 탄생

오래전부터 우리 조상들은 자연 현상을 세심하게 관찰해 다가올 날씨에 대한 단서를 얻었어요. 날씨 정보는 곡식을 가꾸는 농민이나 바다에 나가는 어부에게 매우 중요한 정보였기 때문이에요.

이런 경험들이 모여 날씨에 대한 속담이 됐는데, 과학적으로 옳다고 확인된 경우도 많답니다. 어떤 속담이 있는지 살펴볼까요?

제비가 낮게 날면 비가 온다

제비는 평소에는 하늘 높이 날지만 땅 위를 낮게 날 때가 있어요. 비가 오기 전에는 공기 중에 습도가 높아지는데, 이때 제비의 먹이인 곤충들이 날개가 무거워져 낮게 날기 때문이랍니다.

가을 안개에 풍년 든다

안개는 주로 맑은 날 아침에 껴요. 따라서 가을 아침에 안개가 끼면 날씨가 맑다는 뜻이지요. 맑은 날 따뜻한 햇볕은 벼가 익는 데 큰 도움이 되기 때문에 풍년이 든다고 생각한 거랍니다.

개미가 줄지어 지나가면 비가 온다

개미는 한여름에 햇볕이 내리쬘 때는 땅속에 있어요. 그러나 구름이 끼면 나와서 활동을 하는데, 바로 이 모습을 보고 만들어진 속담이에요. 개미는 비가 올 낌새가 보이면 집이 잠길 것을 예상하고 다른 곳으로 이동해요. 그래서 개미가 줄지어 지나가면 비가 올 가능성이 높답니다.

날씨 관찰과 기구

옛날 사람들은 날씨를 더 잘 관측하기 위해 다양한 기구를 만들었어요. 대표적인 기구로 조선 시대 세종 때 만든 측우기, 유럽 과학자들이 만든 온도계와 기압계 등이 있지요.

조선 시대의 측우기

우리 역사에서 가장 유명한 기상 관측 기구는 세종 때 만든 측우기예요. 강우량을 확인하기 위한 과학적인 도구지요. 빗물을 받는 그릇과 물의 깊이를 재는 자, 그리고 그릇을 지탱해 주는 받침대로 이루어져 있어요. 비가 얼마나 오는지 살펴서 농사에 도움을 주었답니다.

세종은 전국적인 강우량 측정망을 만들려고 시도했는데요. 기상 관측 업무를 담당하는 '관상감'을 만들어 직원들에게 24시간 근무를 명령했어요. 하루 3번 강우량을 관측하고 비가 언제 내리기 시작해 언제 그쳤는지, 측우기에 물이 얼마나 찼는지 기록하게 했어요. 비는 강약에 따라 보슬비부터 폭우까지 8단계로 구분했답니다.

정조 시절에는 관측을 허술하게 한 관리에게 곤장 100대를 때리는 등 처벌도 엄격했어요. 조선 시대에 날씨를 얼마나 중요하게 생각했는지 알겠지요?

TIP

빗물의 양은 '부피'가 아니라 '높이'

'강수량'이라는 단어 때문에 빗물을 재는 단위를 부피인 밀리리터(ml)로 착각하기 쉬워요. 마트에서 파는 우유도 500밀리리터, 1000밀리리터 이렇게 양을 표시하잖아요. 그러나 강수량은 일정한 시간 동안 빗물이 고인 높이, 즉 밀리미터(mm)로 측정한답니다. 또 눈이 쌓인 높이인 '적설량'은 비보다 10배 더 큰 단위인 센티미터(cm)로 나타내요.

보통 1시간에 50밀리미터 정도의 비가 오면 양동이로 물을 퍼붓는 듯한 느낌을 받아요. 또 1시간에 30밀리미터 정도의 비에는 하수구의 물이 넘치고, 20밀리미터 정도에는 요란스러운 소리가 나지요. 비가 내리는 모습을 유심히 관찰하기만 해도 어느 정도의 강도인지 알 수 있어요.

강수량은 비만 측정하는 게 아니에요!

강수량은 비의 양만 말하는 게 아니에요. 눈, 서리, 이슬, 우박, 안개 등 하늘에서 땅으로 떨어지는 모든 물의 양을 통틀어 잰답니다.

온도를 맨 처음 잰 갈릴레이

온도를 처음으로 측정한 사람은 이탈리아의 과학자 갈릴레이예요. 갈릴레이는 온도에 따라 기체나 액체의 부피가 달라지는 성질을 이용하여 온도의 변화를 쟀어요. 하지만 그가 만든 온도 측정 방식은 정확하지 않았어요.

갈릴레이의 제자들은 온도에 대해 더 연구하여 온도계를 만들었어요. 그리고 스승의 이름을 따서 갈릴레이 온도계라 불렀지요. 투명한 액체가 든 유리관에 서로 다른 색깔의 액체로 채워져 있는 유리 공을 넣어 만들었답니다. 온도에 따라 밀도★ 차이가 생기면서 어떤 유리 공은 뜨고 어떤 유리 공은 가라앉는 모습을 통해 온도를 쟀어요. 하지만 이 온도계도 정확하지 않았어요.

갈릴레이 온도계

로버트 훅의 온도계

1655년에 영국의 과학자 로버트 훅은 알코올의 부피 변화를 이용한 표준 온도계를 만들었어요. 영국에서 가장 정확한 온도계로 유명했는데, 40년 동안 날씨 변화를 측정하는 데 사용했답니다.

화씨온도와 섭씨온도

1714년에 화씨온도계가, 1742년에 섭씨온도계가 발명됐어요. 우리가 주로 사용하는 섭씨온도는 물이 어는 온도를 0도, 끓는 온도를 100도로 하

★ **밀도** 일정한 공간에 어떤 물질이 빽빽이 들어 있는 정도. 밀도가 작은 물질은 밀도가 큰 물질 위로 뜸

여, 그 사이를 100으로 나눈 온도 단위예요. 스웨덴의 과학자 앤더스 셀시우스가 처음 만들었어요. 그의 이름 셀시우스(Celsius)의 앞 글자를 따 섭씨온도의 단위를 ℃로 쓰는 것이랍니다.

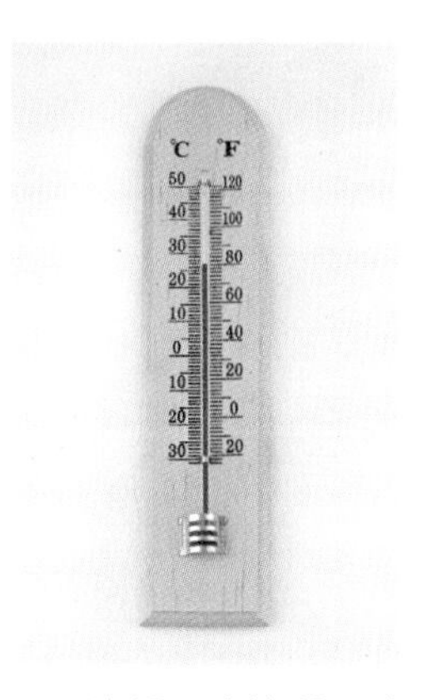

섭씨온도와 화씨온도가 모두 적힌 온도계

화씨온도는 물이 어는 온도를 32도, 끓는 온도를 212도로 하고 그 사이를 180으로 나눈 온도 단위예요. 독일의 물리학자였던 파렌하이트(Fahrenheit)가 만들어서 단위를 ℉로 사용하지요. 현재 우리나라를 비롯한 대부분 나라에서는 섭씨 온도를, 미국에서는 화씨온도를 주로 사용하고 있답니다.

발전하는 온도계

수은은 온도에 따른 부피 변화가 일정해요. 파렌하이트는 이 특징을 온도계에 적용하여 수은 온도계를 만들었어요. 그 후 많은 사람들이 수은 온도계를 이용했어요. 하지만 수은이 사람에게 해롭다는 사실이 알려지자 거의 사용하지 않게 되었어요.

요즘은 헬륨이나 수소, 질소 등 다양한 물질로 온도계를 만들고 있어요. 또한 전자 기계의 발달로 디지털 온도계도 만들어졌답니다.

날씨를 보여 주는 요술 지도 - 일기도

사람들은 강수량과 기온, 기압 등 다양한 기상 현상을 관측한 자료가 쌓이자, 날씨를 한눈에 볼 수 있도록 지도에 표시하기 시작했어요. 바로 '일기도'가 탄생한 거예요.

일기도는 어떤 지역의 기상 상태를 파악하기 위해 기온과 기압, 풍향, 풍속 등의 관측 자료를 기호로 표시한 지도랍니다.

일기도의 시작은 가벼운 바람부터

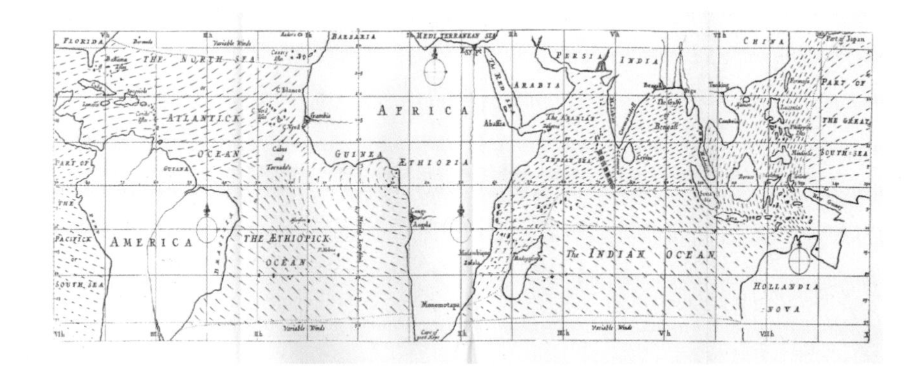

가장 오래된 일기도는 영국의 기상학자 에드먼드 핼리가 1686년에 그린 것으로, 바람의 흐름을 표시한 간단한 지도예요.

그 후 통신이 발전하자 여러 나라의 관측 정보를 빠르게 주고받게 되었고, 일기도는 더욱 정확해졌답니다.

미국의 물리학자 헨리는 통신을 활용해 많은 기상 자료를 수집했고, 1858년 세계 최초로 일기도에 의한 일기 예보를 발표했어요.

전쟁의 시대에 더욱 발전한 일기도

일기 예보는 전쟁의 승패에 큰 영향을 주었기 때문에 일기도의 중요성이 매우 커졌어요. 한 예로, 크림 전쟁*을 들 수 있어요.

1854년 11월 14일 무시무시한 폭풍이 크림반도를 덮쳤어요. 이때 크림 전쟁에 참가했던 영국과 프랑스 연합은 큰 피해를 입었지요. 프랑스 정부는 파리 천문대에 당시의 기상 상황을 분석하도록 했어요.

유럽 곳곳의 관측소로부터 약 250건에 이르는 관측 자료를 모아 조사한 결과, 폭풍의 이동 경로를 파악할 수 있었지요.

이때 프랑스의 나폴레옹 3세는 기상 관측의 중요성을 깨닫고, 기상 관측망을 만드는 데 힘썼어요. 관측의 결과는 일기도로 그려졌고, 1863년에는 세계 최초로 매일 일기도가 실린 신문이 나왔답니다.

TIP

암호문 같은 일기도의 비밀

기압이 같은 지점을 부드러운 선으로 연결한 등압선만 잘 봐도 많은 날씨 정보를 얻을 수 있어요. 중심에 고기압(고) 표시가 있으면 맑고, 저기압(저) 표시가 있으면 흐리지요. 그 밖에 하늘의 상태를 알 수 있게 해 주는 기호를 살펴볼까요?

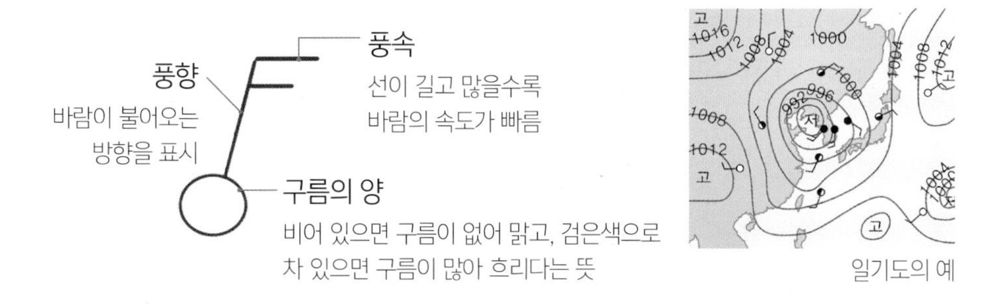

일기도의 예

* 크림 전쟁 1853년 러시아 제국이 흑해로 진출하기 위해 영국, 프랑스 등의 연합군과 벌인 전쟁

한눈에 쏙!

날씨 관측과 예보의 역사

옛날 사람들의 날씨 정보

- 옛날에 열매를 따 먹거나 동물을 잡아먹던 때, 농사를 짓기 시작한 때에도 날씨는 매우 중요한 정보였음
- 중국의 갑골 문자 : 날씨에 대한 최초의 기록(기원전 1200년경)
  - 거북의 등딱지나 동물의 뼈에 글자를 새김
  - 주로 그날그날의 날씨를 점친 내용을 새김
- 우리 조상들도 날씨를 중요하게 생각함
  ⋯› 날씨는 곡식을 가꾸는 농민이나 바다에 나가는 어부에게 매우 중요한 정보였기 때문
- 날씨 정보가 담긴 속담의 예
  - 제비가 낮게 날면 비가 온다.
  - 가을 안개에 풍년 든다.
  - 개미가 줄지어 지나가면 비가 온다.

날씨 관찰과 기구

- 측우기 : 세종 때 제작한, 강우량을 확인하기 위한 도구
  비의 양을 측정하여 농사에 도움을 줌
- 온도계 : 옛 유럽의 많은 과학자가 다양한 방식의 온도계를 만듦
  과학의 발달로 디지털 온도계 발명

화씨온도와 섭씨온도

- 섭씨온도
  - 물이 어는 온도를 0도, 끓는 온도를 100도로 하여 그 사이를 100으로 나눈 온도 단위
  - 이 단위를 처음 만든 셀시우스의 앞 글자를 따 ℃로 표기
  - 우리나라를 비롯한 대부분의 나라에서 섭씨온도 사용
- 화씨온도
  - 어는 온도를 32도, 끓는 온도를 212도로 하고 그 사이를 180으로 나눈 온도 단위
  - 이 단위를 처음 만든 파렌하이트의 앞 글자를 따 ℉로 표기
  - 미국에서 사용

일기도

- 날씨를 한눈에 볼 수 있도록 지도 위에 기온, 기압, 풍향, 풍속 등을 표시한 것
- 최초의 일기도는 바람의 흐름을 표시한 간단한 지도
- 통신의 발달로 많은 기상 자료를 수집하게 되자 일기도도 크게 발전함

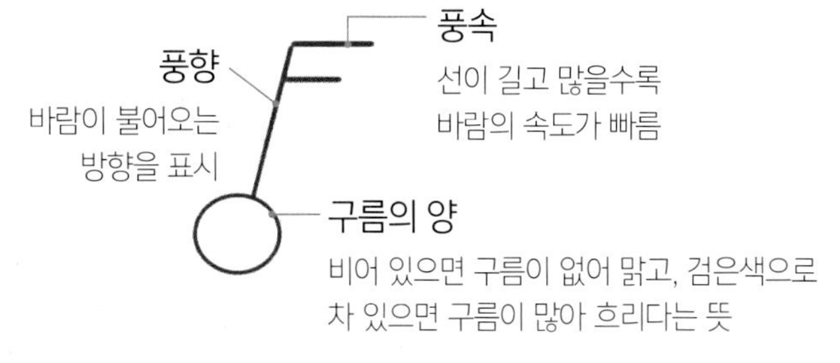

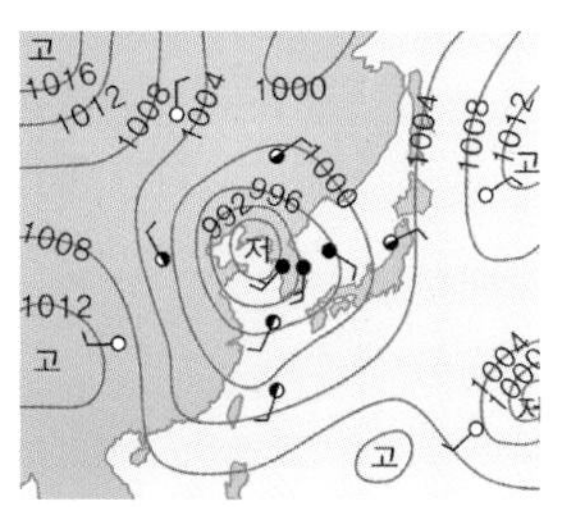

한 걸음 더!

우리나라는 언제부터 기상 관측을 했을까?

우리 조상들은 언제부터 기상 관측을 했을까요? 지금까지 전해져 내려온 책을 연구한 결과, 가장 오래된 관측 정보는 삼국 시대에서부터 시작돼요.

기원전 53년에 신라에서 발견된 용오름이 최초의 기상 관측 기록이에요. 용오름은 매우 강한 바람의 소용돌이를 뜻하지요.

414년 고구려에서는 눈이 쌓인 양을 측정하기도 했어요. 637년 신라에서는 동양 최초의 천문대인 첨성대를 지어 하늘의 변화를 관찰했지요.

779년에는 큰 지진으로 집이 무너져 많은 사람이 죽었다는 기록이 있어요.

이러한 내용은 김부식의 《삼국사기》, 일연의 《삼국유사》에 기록되어 있어요. 날씨 정보 중에는 가뭄이나 홍수 같은 재해에 대한 내용이 많이 담겨 있답니다.

첨성대

과학적인 관측은 언제부터 했을까?

날씨 뉴스를 보다가 '기상 관측 역사상 가장 더웠다' 이런 표현을 들은 적 있지요? 우리나라에서 과학적인 방법으로 관측을 처음 시작한 시기는 대한 제국 시절인 1904년이에요. 그해 인천, 목포, 부산 등 전국 곳곳에 관측소를 세워 기온과 강수량 등을 주기적으로 관측했답니다.

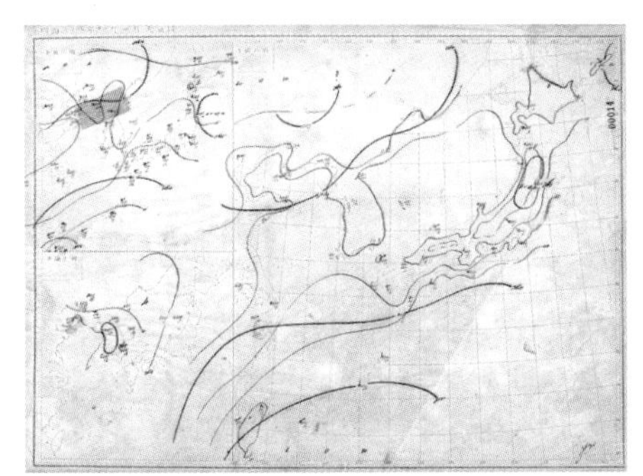

우리나라 최초의 일기도(1905년 11월 1일)

우리나라 기상 레이더 센터

6화

기상 캐스터가 될래!

직업 날씨 관련 직업

- 관측부터 일기 예보까지
- 기상청 예보관
- 기상 전문 기자
- 기상 캐스터
- 기상 컨설턴트

한눈에 쏙 - 날씨 관련 직업

한 걸음 더 - 세계적인 기후학자

기 상 청

"오늘은 비가 오려나 보다. 허리가 이렇게 아픈 걸 보니……."

할머니가 창밖을 내다보며 중얼거렸어요. 이럴 땐 마치 할머니도 날씨 전문 기자 같아요.

"그럼 우산을 가져가야 할까요? 뉴스에서는 비 온다는 얘기 없었는데……."

학교에 가려고 현관문을 나서던 다인이가 망설이면서 할머니를 바라봤어요.

"할머니 예보는 틀린 적이 없잖아. 우산 가져가자."

아인이는 신발장에서 우산을 꺼내 들었어요. 다인이는 계속 의심스러운 표정이더니 그냥 대문 밖을 나섰어요.

방과 후 집에 가는 길, 잔뜩 찌푸린 하늘에서 갑자기 굵은 빗줄기가 쏟아졌어요. 놀란 다인이가 아인이의 우산 속으로 급히 들어갔어요.

"우리 할머니 최고! 어떻게 일기 예보보다 정확하지?"

"어휴, 그러니까 우산 챙기라니까……."

주변을 둘러보니, 우산을 준비하지 못한 사람들이 손으로 머리를 가린 채 마구 달리고 있었어요.

집 앞에 거의 다 왔을 때, 마트 앞에 있는 엄마가 보였어요. 남매는 반가운 마음에 쪼르르 달려갔답니다.

"엄마, 벌써 퇴근한 거예요?"

"응. 일이 일찍 끝나서 너희 부침개 만들어 주려고. 원래 비 오는 날에는 부침개 생각이 절로 나잖니?"

엄마가 장바구니를 흔들며 말했어요. 부침개를 떠올리자, 남매의 입안에는 침이 고였답니다.

"얘들아, 여기 우산 코너 좀 봐. 오늘처럼 비 오는 날에는 우산이 잘 팔리겠지? 그래서 이렇게 맨 앞쪽에 진열한 거야."

"엄마! 오늘 비 온다는 얘기가 없어서 우산을 안 챙겼는데, 갑자기 비가 왔어요."

"다행히 아인이가 우산을 챙겼구나. 아침부터 비가 오면 사람들이 우산을 챙겨 오기 때문에 우산이 잘 안 팔려. 그런데 오늘처럼 오후에 갑자기 내리면 우산이 잘 팔린단다. 그럼 우산 장수는 엄청 좋아하겠지?"

아이들은 엄마의 얘기를 듣다가 깔깔깔 웃었어요. 짚신 장수와 우산 장수의 어머니가 생각났거든요.

짚신 장수와 우산 장수의 어머니 이야기

맑은 날에는 우산을 파는 아들이 하나도 팔지 못할까 봐, 비가 오면 짚신 장수 아들이 하나도 팔지 못할까 봐 걱정했다는 옛날이야기

집에 도착하자마자 엄마는 할머니와 함께 식사 준비를 했어요. 부침개에는 미나리, 호박, 오징어 등 신선한 재료가 가득했지요. 남매는 부침개를 맛있게 먹었어요.

볼록해진 배를 두드리며 아인이가 엄마에게 말했어요.

"엄마, 오늘 할머니가 허리 아프다며 비 올 것 같다고 했는데 진짜 비가 왔어요."

"비가 오면 기압이 낮아지기 때문에 상대적으로 우리 몸속의 압력이 커지거든. 그러면 신경이 자극을 받아서 통증이 생길 수 있어. 또 비와 함께 쌀쌀한 기운이 몰려오면 근육이 뻣뻣해지면서 아플 수도 있지."

"우아! 할머니 말이 진짜구나?"

"하지만 이 이야기가 100퍼센트 확실한 건 아니야. 호주의 한 연구팀이 허리와 무릎 통증 환자를 대상으로 실험을 했는데 날씨와 통증은 상관이 없다는 결과가 나왔거든."

"그래도 우리 할머니의 비 소식은 정말 잘 맞는 거 같아요."

"맞아. 엄마보다 더 기상 전문 기자 같아!"

그러자 엄마는 웃으며 말했어요.

"하하, 그렇구나. 하지만 할머니처럼 날씨를 예상하는 능력은 기자보다 기상청 예보관에 더 어울리겠네. 아니면 기상 컨설턴트도 있고."

"기상 컨설턴트가 뭐예요? 그런 직업도 있어요?"

"날씨 정보를 개인이나 기업에 알려 주고, 이익을 더 많이 볼 수 있게 도와주는 직업이야. 짚신 장수와 우산 장수 이야기 기억하지? 만약 그 옛날에도 날씨를 상담해 주는 기상 컨설턴트가 있었다면 그 둘의 생활은 달라졌을 거야. 맑을 거라는 정보가 있으면 두 아들 모두 짚신을 팔고, 비가 온다는 정보가 있으면 우산을 2배로 만들어 더 많은 돈을 벌 수 있었을 테니까."

"아하! 그럼 할머니는 기상청 예보관, 엄마는 기상 전문 기자니까 나는 기상 컨설턴트가 될래요!"

"그럼 나는 기상 캐스터! 카메라 앞에 서는 거 연습해야지~!"

다인이와 아인이의 말에 모두의 얼굴에 웃음꽃이 피었답니다.

우리는 날씨에 큰 영향을 받으며 살고 있어요. 그래서 하루를 시작할 때 날씨를 미리 확인하는 게 습관이 되지요.

일상생활에 큰 도움을 주는 일기 예보는 어떤 과정을 통해 우리에게 전달되는 걸까요?

기상을 관측하여 자료를 모아라!

일기 예보를 하려면 가장 먼저 관측 자료가 필요해요. 전 세계 곳곳에 설치된 기상 관측소에는 기온이나 바람, 습도, 기압 등 다양한 자료를 측정할 수 있는 장비가 있어요.

특히 날씨를 관측하기 위해 발사한 기상 위성들은 지구 주위를 돌며 구름이나 태풍, 황사 등의 기상 정보를 실시간으로 알려 주는 정보원 역할을 해요.

정확한 예보를 하려면 기상 관측소나 기상 위성 등 다양한 기구로부터 정보를 많이 얻을수록 좋아요. 어떤 기구들이 있는지 살펴볼까요?

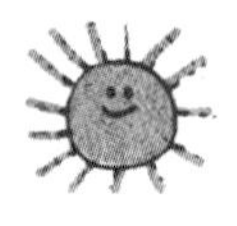
맑음

번개

비

눈

강풍

태풍

흐림

백엽상

우리 주변에서 볼 수 있는 가장 기본적인 기상 관측용 기구예요. 조그만 집 모양의 흰색 상자로, 하얀 나뭇조각을 비스듬히 겹쳐서 만들었어요. 안에는 온도계와 습도계, 기압계가 들어 있어요. 이 도구들이 직사광선이나 눈비, 바람의 영향을 최대한 적게 받도록 디자인되어 있답니다.

풍향계와 풍속계

바람의 방향과 속도를 확인하는 기구예요.

우량계

비의 양을 측정하는 기구예요. 바람이 불어도 넘어지지 않게 설치한답니다.

천리안 위성

위성 일기 예보에서 한반도 주변의 구름 사진을 본 적 있지요? 그 자료는 바로 천리안 위성이 찍은 거예요. 이 기구는 한반도 위에 늘 머물면서 날씨 정보는 물론, 태풍이나 황사 같은 재해를 대비할 수 있게 도와줘요.

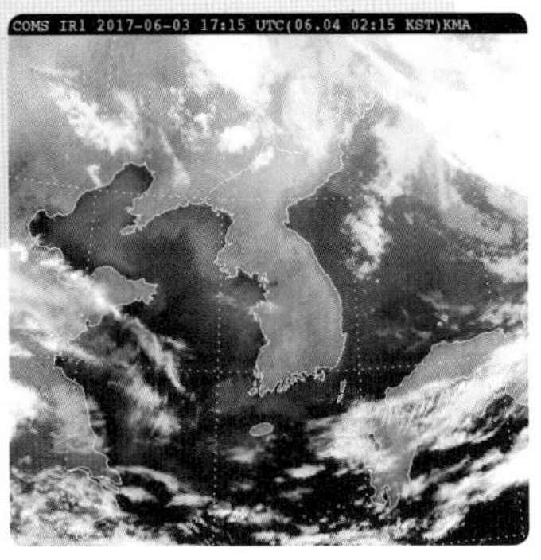

기상 1호

우리나라 최초의 기상 관측선이에요. 바다로 둘러싸인 우리나라는 호우와 태풍, 폭설 등을 정확하게 예보하기 위해 해상 관측 정보가 반드시 필요해요. 대기의 높은 곳까지 관측하고 바닷물의 움직임을 분석하기 때문에 '움직이는 해양 기상 관측소'라고 불린답니다.

기상 관측용 항공기와 드론

대기권을 비행하면서 구름이나 바람의 변화를 측정해요. 태풍 속으로 직접 들어가서 비구름의 크기와 강도를 관측할 수도 있답니다. 최근에는 소형 무인 항공기인 드론도 기상 관측에 사용해요.

기상을 관측하는 드론

기상 레이더

회전식 안테나를 사용하여 대기 중으로 전파를 쏘는 장비예요. 눈이나 비, 우박 등 어떤 물질에 전파가 부딪히느냐에 따라 되돌아오는 신호가 다르기 때문에 레이더 영상을 분석하여 정확한 날씨를 알아낸답니다. 우리나라에는 전국 곳곳에 12대의 기상 레이더가 설치돼 있어요.

기상 레이더 센터

자료를 분석하고 예보문을 작성하자!

기상청은 국내뿐만 아니라 해외에서 모은 여러 기상 관측 자료를 슈퍼컴퓨터에 입력해요. 슈퍼컴퓨터에는 날씨를 예측하는 프로그램이 저장되어 있거든요. 슈퍼컴퓨터가 수백만 번의 계산을 통해 예상 일기도를 그리면, 예보관들은 그 자료를 바탕으로 토론을 거쳐 날씨 예보문을 작성해요.

사람들에게 일기 예보를 알려라!

일기 예보는 텔레비전과 라디오, 신문 등을 통해 여러 사람에게 전해져요. 날씨는 우리가 살아가는 데 매우 중요한 정보예요. 그래서 뉴스에서 매일 기상 캐스터가 날씨를 알려 주고, 여러 포털 사이트에서도 날씨 정보를 알린답니다.

이 직업 만나 봤니? - 기상청 예보관, 김성묵

이번엔 날씨와 관련된 직업을 소개할게요. 먼저 기상청 예보국에서 일하면서, 종종 뉴스를 통해 날씨의 원인과 전망을 전하는 김성묵 예보관을 만나 볼까요?

Q. 언제부터 예보관의 꿈을 키웠나요?

A. 처음부터 예보관을 꿈꾼 건 아니었어요. 다만 고등학교 때부터 지구에 대해 관심이 많았어요. 대학에서 대기과학을 공부하면서 관련 지식을 쌓았고요.

졸업 후에는 공군 기상 장교로 일하면서 학교에서 배웠던 지식을 현장에 적용해 볼 수 있었어요.

그러던 2005년 말, APEC 정상회담이 열렸을 때였어요. 당시 저의 업무는 세계 각국의 정상이 탄 비행기가 뜨고 내릴 때 기상 예보를 하는 것이었지요. 그때부터 기상청 예보관에 대한 꿈을 키웠어요.

Q. 예보관으로서 힘든 점이 있다면?

A. 태풍 같은 재해가 발생하면 휴일에도 근무를 해야 해요. 또 날씨 예보가 빗나갔을 때 비난의 목소리가 들려오면 마음이 무거워져요. 현재의 기술로는 자연 현상을 완벽하게 맞힐 순 없는데 말이에요. 그래서 예보관들은 '날씨 예보는 맞혀야 겨우 본전'이라는 말을 자주 한답니다.

Q. 일하면서 좋은 점은?

A. 날씨 예측을 통해 국민의 생명과 재산을 보호할 수 있다는 점에서 큰 보람을 느껴요.

예보관은 위성이나 레이더 등을 통해 구름에 포함된 물의 양을 관측하고 위험한 기상 현상을 예측해요. 이 내용을 세상에 발표하여 한두 명이 아니라 수백 명, 수천 명의 생명을 구할 수 있답니다.

Q. 기상 예보관의 미래는?

A. 최근 지구 온난화 때문에 평소와 아주 다른 기상 현상이 자주 나타나요. 기상 예보관은 이러한 기상 재해로부터 국민의 생명을 보호하는 것뿐만 아니라, 농작물 보호와 교통사고 방지, 필요한 전력량 예측 등 다양한 곳에 도움을 주지요.

앞으로도 기상 예보관은 우리 생활에 꼭 필요한 분야에서 더욱 다양한 업무를 해 나갈 거예요.

TIP

기상청 예보관이 되려면?

기본적으로 대기과학을 알아야 하고, 수학, 물리학, 지리학 등 관련 지식도 두루두루 익혀야 해요. 자연 현상을 바라보는 호기심이나 실패에 좌절하지 않는 긍정적인 마음가짐도 필요해요. 예보는 과학 지식과 호기심, 그리고 판단력에 의해 이루어져요. 따라서 이러한 성향이 있다면, 훌륭한 예보관이 될 자질을 갖춘 셈이랍니다.

이 직업 만나 봤니? – 기상 전문 기자, 신방실

Q. 기상 전문 기자가 된 이유는?

A. 저는 대학에서 대기과학을 공부했어요. 매일 변하는 날씨에 호기심이 많았고, 특히 태풍처럼 큰 피해를 주는 재난이 어떻게 발생하는지 궁금했거든요. 졸업 후에는 언론사에 들어와 기상 전문 기자가 되었어요.

Q. 기자로서 힘든 점과 좋은 점은?

A. 2012년, 5개의 태풍이 한반도에 연속으로 온 적이 있어요. 정말 악몽 같았죠. 그때 자연재해의 위력에 대해 크게 깨달았어요. 그리고 과학을 전공해서 처음에는 글을 쓰는 일이 쉽지 않았어요. 하지만 날씨 정보를 많은 사람에게 알리는 일은 정말 보람 있어요. 특히 시청자들로부터 따뜻한 격려를 받으면 힘든 일은 잊게 되지요.

TIP

기상 전문 기자가 되려면?

대기과학을 비롯한 다양한 과학 지식을 쌓아야 해요. 기상 정보를 시청자에게 알려야 하므로, 원고 작성을 위한 글쓰기 능력이 있어야 해요. 또한 취재 현장에 나가 카메라 앞에서 당당하게 말하는 능력도 필요하지요.

이 직업 만나 봤니? – 기상 캐스터, 이세라

Q. 기상 캐스터가 하는 일은?

A. 기상 캐스터는 시청자에게 날씨 정보를 전하는 일을 해요. 기상청에서 발표하는 날씨 예보를 바탕으로 원고를 작성하고, 설명에 도움이 되는 그래픽도 만든답니다.

Q. 기상 캐스터로서 힘든 점과 좋은 점은?

A. 날씨 정보를 전달하는 데 주어지는 시간은 보통 1분이에요. 이 짧은 시간에 모든 날씨 정보를 담으려면, 그날의 날씨가 어떤지 항상 관찰해야 해요.

전국의 날씨를 자세히 전달하는 건 현실적으로 불가능하고, 예보가 틀릴 때도 있어 아쉬워요. 그럴 때는 시청자들에게 죄송한 마음이 들지요. 반대로 예보가 잘 맞아서 사람들이 소나기에 대비할 수 있었다거나, 나들이 계획을 세우는 데 도움이 되었을 때는 큰 보람을 느껴요.

TIP

기상 캐스터가 되려면?

가장 중요한 것은 아름다운 외모나 훌륭한 방송 솜씨가 아니에요. 그날의 날씨를 쉬운 말로 정확히 전달하는 능력이 필요해요. 때로는 날씨의 아름다움을 섬세하게 전해야 할 때도 있지요. 일상에서 놓치기 쉬운 자연의 아름다움까지도 전달하기 위해 노력해야 한답니다.

이 직업 만나 봤니? - 기상 컨설턴트 (가상 인터뷰)

Q. 기상 컨설턴트란?

A. 기상 컨설턴트는 한국고용정보원이 선정한 미래에 전망이 좋은 직업 중 하나예요. 우리나라 산업의 80퍼센트 정도는 날씨의 영향을 받아요. 그러므로 기상 정보를 활용하여 경영에 활용하는 일은 기업의 필수 전략인 셈이지요. 기업이나 개인에게 맞춤형 기상 정보를 제공하는 기상 컨설턴트는 아직은 낯설지만, 앞으로 더욱 주목받을 거예요.

Q. 날씨의 영향을 받는 산업의 예를 들면?

A. 편의점에서는 무더위가 심할 때 음료와 아이스크림을 미리 많이 가져다 두면 수입이 늘어나요. 철도 회사는 매일의 날씨를 예상해 강풍이 부는 곳에서는 기관사들에게 열차 운행 속도를 줄이도록 하지요. 스키장이나 놀이공원처럼 야외 활동을 하는 곳도 마찬가지겠죠?

TIP

기상 컨설턴트가 되려면?

대기과학이나 지구과학, 경영학, 통계학, 컴퓨터공학 등을 전공하는 것이 좋아요. 기상 관련 자격증을 따거나 한국기상산업진흥원에서 실시하는 교육에 참여하고 수료증을 받는 것도 도움이 돼요.

TIP

인공지능 예보관

지금까지의 일기 예보는 슈퍼컴퓨터가 만든 1차 예보를 예보관이 정리하고 수정하여 최종 발표했어요. 그런데 국내의 한 업체가 새로운 일기 예보 시스템을 도입했어요. 예보관의 역할을 인공지능 프로그램으로 대체한 거예요.

인공지능이란?

인공지능은 사람처럼 학습, 추리, 적응 등의 기능을 지닌 컴퓨터 시스템이에요. 2016년 4월, 이세돌과 바둑 대결을 한 알파고 같은 것이 바로 인공지능이지요. 슈퍼컴퓨터가 날씨를 예상하면 그 내용을 인공지능이 계속 학습하여 정확한 일기 예보를 생산한답니다.

실시간으로 쏟아져 나오는 수많은 기상 관측 자료를 분석하는 일은 인공지능을 활용하기에 가장 적합한 분야로 꼽히고 있어요.

날씨 분야에 사용되는 인공지능의 예

기상청에서는 봄철 꽃가루 관측 자료를 인공지능으로 분석한 뒤 알레르기 위험성을 알리는 모형을 만들었어요. 또 국립환경과학원은 인공지능을 활용해 미세 먼지 예보의 정확도를 높이겠다고 선언했어요. 머지않아 예보관들이 하던 일을 인공지능이 대체할 날이 올지도 몰라요.

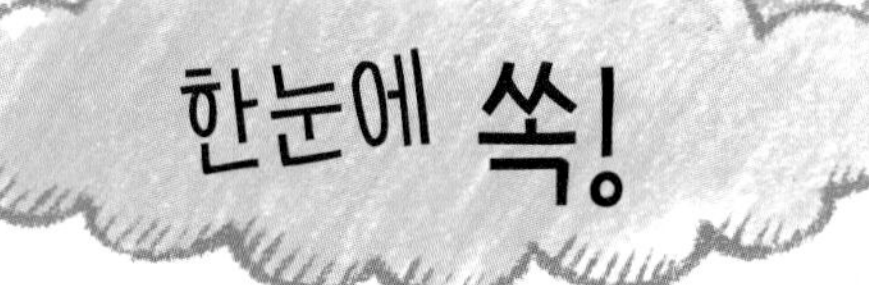

날씨 관련 직업

기상 관측

- 기상 관측소에는 기온이나 바람, 습도, 기압 등 다양한 자료를 측정할 수 있는 장비가 있음
- 백엽상 : 온도계, 습도계, 기압계가 들어 있음
- 풍향계와 풍속계 : 바람의 방향과 속도를 확인하는 기구
- 우량계 : 비의 양을 측정하는 기구
- 천리안 위성 : 한반도 위에 머물며 구름이나 태풍, 황사 등의 정보를 알림
- 기상 1호 : 기상 관측용 선박으로, 대기의 높은 곳까지 관측하고 바닷물의 움직임을 분석
- 기상 관측용 항공기와 드론 : 대기권을 비행하면서 구름, 바람의 변화 측정
- 기상 레이더 : 대기 중으로 전파를 쏴서 날씨를 측정

일기 예보

- 슈퍼컴퓨터 : 기상 관측 자료를 모아 분석
- 예보관 : 슈퍼컴퓨터의 자료를 바탕으로 예보관들끼리 토론
- 일기 예보 : 예보관이 작성한 예보문을 사람들에게 전달

기상청 예보관

- 기상청 예보국에서 근무하며, 날씨의 원인과 전망을 알림
- 위성이나 레이더 등을 통해 날씨를 관측하고 기상 현상 예측
- 기상 재해로부터 국민의 생명을 보호하고, 농작물 보호, 교통사고 방지 등 다양한 곳에 도움을 줌

기상 전문 기자

- 날씨 정보를 알리는 기자
- 취재 현장을 찾아다니고, 기사문도 직접 작성해야 하므로 활동성과 문장력이 높아야 함

기상 캐스터

- 시청자에게 날씨 정보를 전하는 캐스터
- 기상청에서 발표하는 날씨 예보를 바탕으로 원고를 작성
- 보통 1분 안에 날씨 정보를 전달해야 하므로, 쉽고 간단한 말로 정확하게 전달하는 말솜씨가 필요함

기상 컨설턴트

- 기업이나 개인에게 맞춤형 기상 정보를 제공하는 직업
- 날씨에 영향을 받는 산업이 많으므로 더욱 주목받을 예정

한 걸음 더!

세계적인 기후학자

구름에 처음으로 이름을 붙인 루크 하워드(1772~1864년)

하늘에 떠 있는 구름은 늘 흰색일까요? 날씨가 맑을 때는 대체로 하얗지만, 비가 올 때는 짙은 회색이거나 검은색이에요. 또 구름의 모양과 떠 있는 높이도 제각각 다르지요.

영국의 기후학자 루크 하워드는 약사로 일했지만, 어려서부터 날씨에 관심이 많았어요. 특히 10살 때부터 구름을 관찰하며 그림일기를 썼는데, 그는 이 일기를 평생 썼어요. 당시 기상학자들은 구름은 너무 빨리 변해서 분류하기 어렵다고 했어요. 하지만 루크는 간단한 분류 체계로 구름을 과학적으로 분석할 수 있다고 생각했어요.

그는 연구 끝에 1803년 《구름의 종류에 관하여》라는 책을 통해 구름을 권운, 적운, 층운, 3가지 기본형으로 구분했어요. 이어 권층운, 권적운, 층적운의 3종류를 더 나눴는데, 이는 구름 분류의 과학적인 기초가 되었답니다.

행동하는 기후학자 제임스 핸슨(1941년~)

제임스 핸슨은 미국의 기후학자로, 농부의 아들로 태어났어요. 커서 천문학과 물리학을 연구하던 그는 지구의 대기가 크게 변하고 있다는 사실을 깨달았지요.

제임스는 지구 온난화에 주목하기 시작했어요. 이 현상으로 인해 기후가 크게 변하고 있고, 이는 전 세계에 나쁜 영향을 끼칠 거라는 것을 알았기 때문이에요.

제임스는 곧장 기후 변화의 문제를 세상에 알리는 데 힘쓰기 시작했어요. 앞으로 폭염과 가뭄이 더욱 심해질 거라고 경고했지요.

그는 지금도 이러한 기후 변화의 문제를 해결하기 위해 연구하고 있어요. 또한 정부의 정책 강화와 개개인의 노력을 주장하고 있답니다.

워크북

1화 날씨는 움직이는 거야!

1 다음 중 날씨에 대한 설명으로 옳은 것을 모두 고르세요.

① 날씨란 그날그날의 공기 상태를 뜻한다.

② 일기 예보를 통해 날씨 정보를 알 수 있다.

③ 우박이나 안개는 날씨 정보가 아니다.

④ 공기가 없는 진공 상태에서는 날씨 현상이 더 잘 나타난다.

2 날씨를 표현하는 요소와 그 설명을 알맞게 짝지어 보세요.

기온 ①

바람 ②

강수량 ③

습도 ④

㉠ 비와 눈, 우박 등 하늘에서 떨어지는 모든 물의 양을 합친 것이다.

㉡ 공기의 축축한 정도를 잰 것이다. 이것은 수증기가 많으면 높고, 건조하면 낮다.

㉢ 공기의 온도를 뜻한다. 이것은 여름에는 높고, 겨울에는 낮다.

㉣ 공기의 움직임을 뜻한다. 불어오는 방향을 풍향, 세기를 풍속이라 한다.

3 아래 그림을 보고 빈칸에 들어갈 알맞은 단어를 〈보기〉에서 찾아 써 보세요.

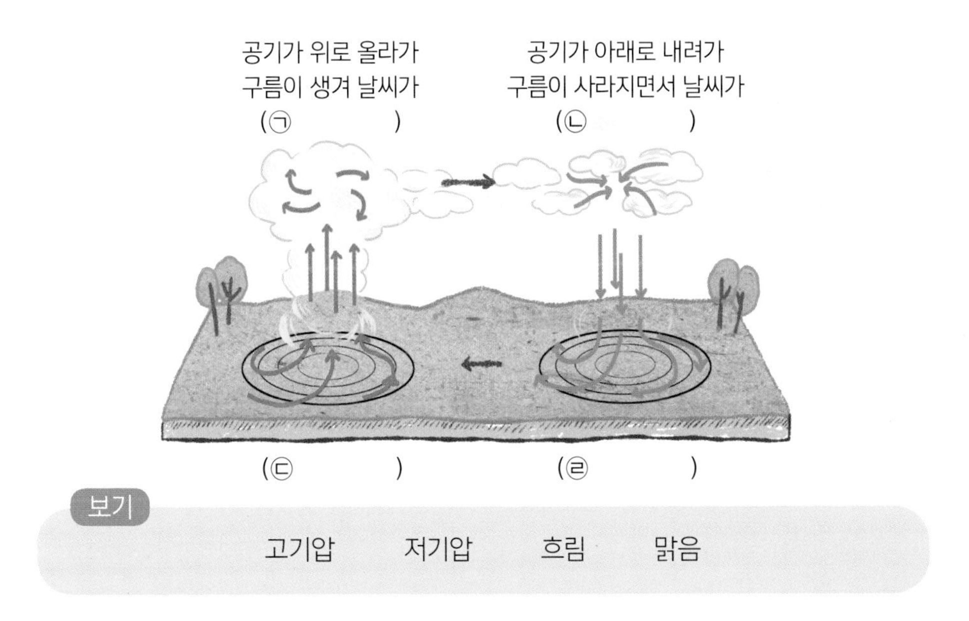

보기

고기압 저기압 흐림 맑음

4 다음 글을 읽고, 빈칸에 들어갈 알맞은 단어를 고르세요.

날씨가 매일의 공기 상태라면, (　　　　)은/는 오랜 시간 동안의 날씨 정보를 모아서 평균을 낸 거예요. 예를 들어, 365일 동안 매일 변하는 기온이나 강수량, 풍속 등을 모아 평균을 내면 1년의 (　　　　)이/가 되지요.

① 기상 ② 기후 ③ 기온 ④ 온대 기후

2화 변신하는 물의 비밀

1 다음은 물의 상태 변화를 설명한 그림이에요. 빈칸에 들어갈 말로 알맞게 짝지어진 것을 고르세요.

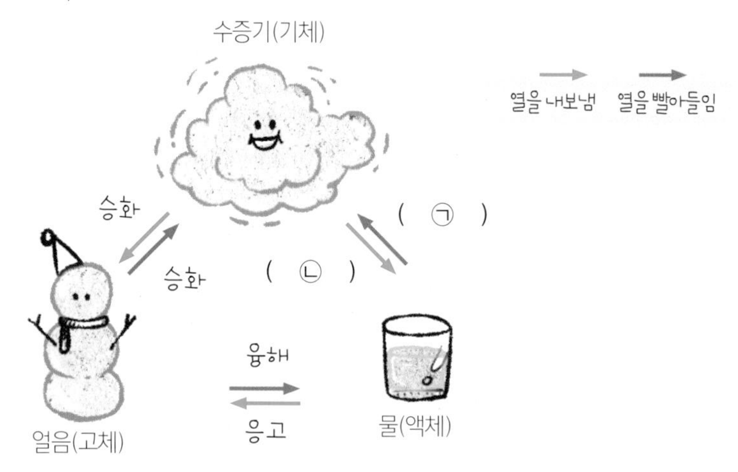

① ㉠ 순환 ㉡ 변환　　② ㉠ 변환 ㉡ 순환

③ ㉠ 응결 ㉡ 증발　　④ ㉠ 증발 ㉡ 응결

2 다음 중 물의 순환에 대한 설명으로 틀린 것을 고르세요.

① 지구에서 증발이 가장 많이 일어나는 곳은 바다이다.

② 증발한 수증기는 공기 중에 머물다가 비나 눈이 되어 땅으로 내려온다.

③ 바다로 흘러 나간 물은 다시는 땅으로 돌아오지 않는다.

④ 물이 지구에서 끊임없이 돌고 도는 현상을 물의 순환이라고 한다.

3 다음의 현상과 설명을 알맞게 짝지어 보세요.

이슬 ①

㉠ 기온이 영하일 때, 공기 중의 수증기가 물체에 닿자마자 곧장 얼음으로 변하는 현상

안개 ②

㉡ 공기 중의 수증기가 매우 작은 물방울로 변하여 공기 중에 떠 있는 현상

서리 ③

㉢ 공기 중의 수증기가 차가운 나뭇잎이나 돌에 닿아 응결되어 물방울로 변하는 현상

4 우리 주변에서 쉽게 볼 수 있는 응결과 증발의 예를 찾아 써 보세요.

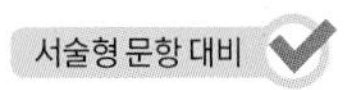

응결의 예	증발의 예
·얼음물이 담긴 컵 표면에 작은 물방울이 맺히는 현상 · · ·	·축축했던 빨래가 바싹 마르는 현상 · · ·

1 다음 중 황사에 대한 설명으로 옳은 것을 모두 고르세요.

① 황사는 주로 무더운 여름에 날아온다.

② 조선 시대에는 없었던 자연 현상이다.

③ 중국이나 몽골에 있는 사막에서 날아오는 누런 모래이다.

④ 요즘 황사에는 건강에 해로운 화학 물질이 섞여 있어 큰 문제가 되고 있다.

2 다음 중 호우에 대해 틀린 설명을 하는 사람을 고르세요.

① 호우는 짧은 시간 동안 많은 양의 비가 내리는 거야.

② 우리나라에서 호우는 특히 여름철에 잘 생기지요.

③ 집중 호우는 적란운이 한곳에서 비를 약하게 뿌리는 거예요.

④ 호우가 내릴 땐 물가에서 놀면 안 된단다.

3 다음 사진을 보고 틀린 설명을 하는 사람을 고르세요.

① 이것은 태풍 사진이야.

② 중앙에 태풍의 눈이 보여요.

③ 회오리 모양이네요.

④ 태풍은 바다 위로만 다니니까 큰 피해는 없단다.

4 다음 설명을 읽고 빈칸에 들어갈 알맞은 말을 〈보기〉에서 고르세요.

(㉠)은/는 짧은 시간에 눈이 많이 내리는 현상이에요. 보통 1시간에 1~3센티미터 이상, 하루에 5~20센티미터 정도의 눈이 내리는 경우이지요.
(㉡)은/는 온도가 갑자기 내려가면서 들이닥치는 추위예요.

보기

호우 폭염 대설 황사 한파 태풍

4화 미세 먼지 때문에 숨 쉬기 힘들어!

1 다음 중 미세 먼지에 대한 설명으로 옳은 것을 모두 고르세요.

① 숨을 쉴 때 호흡기로 들어와 여러 질병을 일으킨다.

② 식물은 피해를 입지 않고, 사람만 피해를 입는다.

③ 초미세 먼지보다 미세 먼지가 더 작다.

④ 매우 작기 때문에 눈에 보이지 않는다.

2 다음 표의 빈 공간을 알맞게 채워 보세요.

병 이름	증상	처치 방법
일사병	- 체온 조절에 문제가 생겨 체온이 37~40도까지 오름	㉠
㉡	- 체온 조절에 문제가 생겨 체온이 40도 이상으로 오르거나, 정신 상태가 이상해짐 - 의식을 잃고 쓰러짐	- 찬물이나 얼음으로 환자의 몸을 차갑게 함 - 증상이 심하면 119에 신고함

㉠ :

㉡ :

3 다음 중 건강한 여름을 보내기 위한 방법이 아닌 것을 고르세요.

① 외출할 때는 모자나 양산을 써서 햇빛을 피한다.

② 오전 11시부터 오후 5시 사이에만 야외 활동을 한다.

③ 수분 보충을 위해 물을 자주 마신다.

④ 바람이 잘 통하는 옷을 입는다.

4 다음 중 건강한 겨울을 보내기 위한 방법이 아닌 것을 고르세요.

① 외출할 때는 모자와 장갑을 착용한다.

② 얇은 옷을 겹쳐 입는 것보다 두꺼운 옷을 한 벌 입는 게 더 따뜻하다.

③ 핫 팩을 가지고 다니며 몸을 따뜻하게 한다.

④ 몸을 자주 움직여 온몸에 피가 잘 돌게 한다.

5화 최초의 일기 예보는 언제?

1 다음 중 옛날 사람들이 남긴 날씨 관련 정보로 틀린 것을 고르세요.

① 중국의 갑골 문자에는 주로 그날 그날의 날씨를 점친 내용이 새겨져 있다.

② 세종 때 만든 측우기는 온도를 확인하기 위한 과학적 도구다.

③ '제비가 낮게 날면 비가 온다'는 속담은 과학적으로 근거가 있다.

④ 가장 오래된 일기도는 바람의 흐름을 표시한 간단한 지도다.

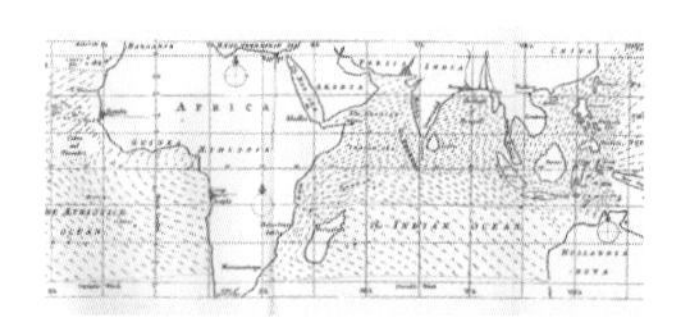

2 다음 글을 읽고, 아인이의 대사를 상상하여 적어 보세요. 서술형 문항 대비 

- 세종 때 기상 관측 업무를 담당하는 관상감 설치
- 비는 강약에 따라 보슬비부터 폭우까지 8단계로 구분
- 정조 때는 기상 관측을 허술하게 한 관리에게 곤장을 때림

3 다음 중 온도와 온도계에 대한 설명으로 틀린 것을 고르세요.

① 갈릴레이가 만든 온도계는 정확하지 않았다.

② ℃는 섭씨온도, ℉는 화씨온도의 단위다.

③ ℃는 섭씨온도 단위를 만든 셀시우스의 앞 글자를 딴 것이다.

④ 우리 몸의 체온을 재는 디지털 체온계는 온도계가 아니다.

4 다음 그림의 빈칸에 들어갈 말로 알맞게 짝지어진 것을 고르세요.

① ㉠ 풍향 ㉡ 풍속 ㉢ 구름의 양

② ㉠ 풍속 ㉡ 풍향 ㉢ 구름의 양

③ ㉠ 풍향 ㉡ 구름의 양 ㉢ 풍속

④ ㉠ 풍속 ㉡ 구름의 양 ㉢ 풍향

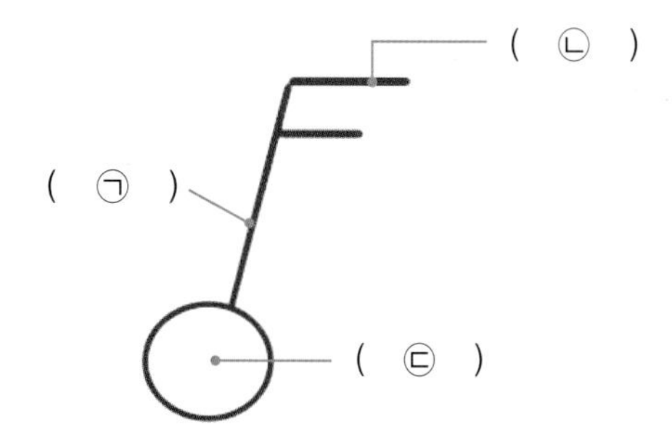

6화 기상 캐스터가 될래!

1 다음 사진을 보고 날씨를 관측하는 기구와 그 이름을 알맞게 짝지어 보세요.

① ㉠ 풍향계와 풍속계

② ㉡ 천리안 위성

③ ㉢ 백엽상

④ ㉣ 기상 관측용 선박 기상 1호

2 다음 글을 읽고 어떤 직업에 대한 설명인지 고르세요.

> 이 직업은 기업이나 개인에게 맞춤형 기상 정보를 제공하는 사람이에요. 우리나라 산업의 약 80퍼센트는 날씨의 영향을 받아요. 따라서 기상 정보를 활용하여 경영에 활용하는 일은 기업의 필수 전략이 되었지요. 이러한 이유로 이 직업은 미래 유망 직업으로도 꼽힌답니다.

① 기상청 날씨 예보관

② 기상 전문 기자

③ 기상 캐스터

④ 기상 컨설턴트

3 최근 인공지능 기술은 봄철 꽃가루의 양이나 미세 먼지의 양을 예측하는 등 날씨 분야에서 활발히 이용되고 있어요. 만약 여러분이 과학자라면 인공지능으로 어떤 날씨 정보를 예측해 보고 싶나요? 자유롭게 상상하여 써 봐요. 서술형 문항 대비

정답 및 해설

1화

1. ①, ②

··· 날씨는 변화무쌍한 공기의 변화를 통틀어 가리키는 말이에요. 공기가 없으면 날씨 현상이 일어나지 않아요. (☞16~17쪽)

2. ①-㉢ ②-㉣ ③-㉠ ④-㉡

··· 기온은 공기의 온도, 바람은 공기의 움직임을 뜻해요. 강수량은 하늘에서 떨어지는 모든 물의 양을 합친 것이고, 습도는 공기의 축축한 정도를 잰 거예요. (☞18~21쪽)

3. ㉠흐림 ㉡맑음 ㉢저기압 ㉣고기압

··· 공기가 주변보다 적으면 저기압, 많으면 고기압 상태예요. 저기압일 때는 구름이 생겨 날씨가 흐려요. 반대로 고기압일 때는 건조하고 날씨가 맑아요. (☞22쪽)

4. ②

··· 오랜 시간 동안의 날씨 정보를 모아 평균을 낸 것은 기후예요. (☞23쪽)

2화

1. ④

··· 액체가 기체로 변하는 현상은 증발, 기체가 액체로 변하는 현상은 응결이에요. (☞35쪽)

2. ③

··· 바닷물은 비나 눈이 되어 땅으로 내려오는 등 지구를 계속 돌아요. (☞36~37쪽)

3. ①-㉢ ②-㉡ ③-㉠

··· 이슬은 공기 중의 수증기가 차가운 물체에 닿아 응결되어 물방울로 변하는 현상이에요. 이 물방울이 너무 작아서 공기 중에 떠 있으면 안개예요. 기온이 영하일 때는 곧장 얼음이 되는데, 이는 서리랍니다. (☞41쪽)

4. 자유롭게 조사하여 적어 봐요.

··· 응결의 예) 겨울에 유리창 안쪽이 뿌옇게 흐려지는 현상

··· 증발의 예) 흙탕물이었던 운동장이 바싹 말라 고운 흙으로 돌아오는 현상

3화

1. ③, ④

··· 황사는 주로 봄에 날아오며, 옛날에도 있던 현상이에요. (☞52~53쪽)

2. ③

··· 집중 호우는 적란운이 한곳에 머물며 강한 비를 뿌리는 현상이에요. (☞55쪽)

3. ④

··· 태풍은 땅 위를 할퀴고 지나가기도 해서 우리에게 큰 피해를 입혀요. (☞56~57쪽)

4. ㉠대설 ㉡한파

··· 짧은 시간에 눈이 많이 내리는 현상은 대설이고, 온도가 갑자기 내려가면서 들이닥치는 추위는 한파예요. (☞58~59쪽)

4화

1. ①, ④

⋯ 미세 먼지는 식물을 못 자라게 해요. 초미세 먼지는 미세 먼지보다 작아요. (☞70~71쪽)

2. ㉠시원한 장소에서 물을 충분히 마시거나, 찬물로 적신 수건으로 온몸을 닦으며 휴식을 취함 ㉡열사병

⋯ 일사병에 걸렸을 때는 시원한 장소에서 물을 마시거나, 휴식을 취해야 해요. 체온이 40도 이상 오르며 정신 상태가 이상해지는 것은 열사병이에요. (☞72~73쪽)

3. ②

⋯ 오전 11시부터 오후 5시까지는 가장 더운 시간이므로 야외 활동을 피해요. (☞74쪽)

4. ②

⋯ 두꺼운 옷을 한 벌 입는 것보다 얇은 옷을 여러 벌 겹쳐 있는 게 더 따뜻해요. (☞77쪽)

5화

1. ②

⋯ 측우기로 강우량을 확인해요. (☞90쪽)

2. 자유롭게 적어 봐요.

⋯ 예) 옛날에도 날씨를 매우 중요하게 생각했구나.

3. ④

⋯ 디지털 체온계는 우리 몸의 온도를 재는 것이므로 온도계의 한 종류예요. (☞93쪽)

4. ①

⋯ 동그라미에 붙어 있는 선은 바람이 불어오는 방향인 풍향을 표시해요. 그 선 끝에 붙어 있는 또 다른 선들은 풍속을 나타내는 것으로, 선이 길고 많을수록 바람의 속도가 빠른 거예요. 동그라미는 구름의 양으로, 비어 있으면 맑은 날이고 검정색으로 차 있으면 구름이 많아 흐린 날이에요. (☞95쪽)

6화

1. ①-㉢ ②-㉠ ③-㉡ ④-㉣

⋯ 백엽상은 집 모양의 흰색 상자로, 안에 온도계와 습도계 등이 들어 있어요. 풍향계와 풍속계는 바람의 방향과 속도를 확인하는 기구예요. 천리안 위성은 한반도 위를 떠돌며 날씨 정보를 보내요. 기상 관측용 선박 기상 1호는 바다 위를 다니며 해상 정보를 모으지요. (☞107~108쪽)

2. ④

⋯ 기업이나 개인에게 맞춤형 기상 정보를 제공하는 직업은 기상 컨설턴트예요. (☞114쪽)

3. 자유롭게 적어 봐요.

⋯ 예) 소나기가 내리는 시간 예상

찾아보기

초등학교 선생님이 추천한 책!

사회가 쉬워지는 통합교과 정보서
참 잘했어요 사회

개념·역사·과학·안전·직업 등 다양한 관점으로 차를 바라봐요!

명진이는 교통수단 행사장에서 특별한 친구를 만나요.
자신이 조선 시대 아씨라고 주장하는 예진이에요.
당연히 거짓말일 줄 알았는데, 자동차나 비행기조차
모르는 걸 보면 예진의 말이 진짜 같기도 해요.
두 친구와 함께 교통수단에 대해 알아볼까요?

글 **이안** | 그림 **박재현** | 감수 **초등교사모임** | 값 11,000원

⑪ 내가 입는 옷 ⑫ 내가 먹는 음식 ⑬ 내가 사는 집 ⑭ 함께 사는 동물

재미있는 스토리

쉽고 자세한 설명

서술형 평가에 대비하는 워크북

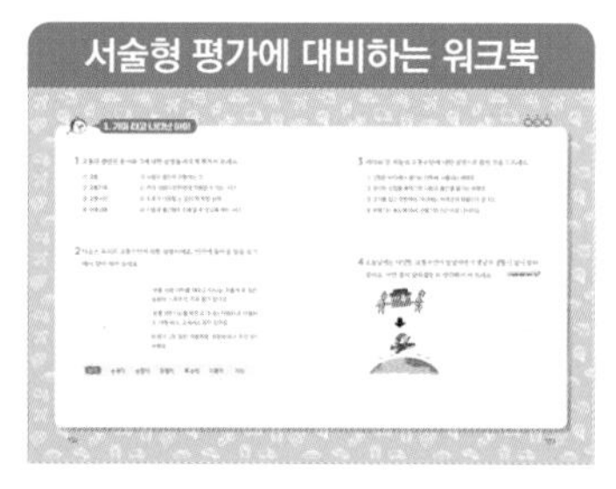

참 잘했어요 사회 시리즈는 초등 교과 과정에 알맞게 개발한 통합교과 정보서입니다.

지학사아르볼